-Hughes
B/Swp.

KW

TAN TRO NESAF

Darlun o Wladfa Gymreig Patagonia

gan

Gareth Alban Davies

Lluniau gan Kyffin Williams

GWASG GOMER
1976

Argraffiad Cyntaf—Rhagfyr 1976

SBN 85088 392 X

Cyhoeddwyd gyda chymorth
Cyngor Celfyddydau Cymru

Argraffwyd gan
J. D. Lewis a'i Feibion Cyf., Gwasg Gomer, Llandysul, Dyfed

(Llun gyferbyn â'r teitl : Norma López)

I'm gwraig Caryl

ac

Er cof am fy nhad

Mudandod Amser

Nid ym modfeddi munud na siffrwd gwaed
y mesuraf amser,
ond yng nghloch ddistaw'r tafod
a llonyddwch gwennol gwefus.
Sillafaf amser mewn brawddegau mud,
y clod nas clymwyd,
y sen nas lleisir,
yr angau a ddringodd i ffenestri'r deall
a'u hollti'n deilchion ar daflod.
A gwrandawaf ar fudandod tref
wedi i'r Gymraeg a yrrai'i rhod
fethu, a rhydu ar echel cenhedlaeth arall.
Mesuraf amser mewn Cymraeg marw.

G.A.D.

Cynnwys

Rhagair

Ganllath neu ddau o'r man y sgrifennaf y geiriau hyn, saif y Windsor Hotel ar y Ton (Plwyf Ystrad-dyfodwg, Cwm Rhondda), ac oddi yno yn y flwyddyn 1890 gyrrodd B. J. Rees lythyr at ei hen gydnabod yn y Wladfa Gymreig i ddiolch iddynt am gynhesrwydd y croeso a gawsai yn eu plith. Dymunaf i'r rhagair hwn fynegi'r un teimlad, gan i mi, mewn oes ddiweddarach, dderbyn yr un driniaeth hael â'm cyd-Sioni dros bedwar ugain mlynedd yn ôl. A rhywfodd neu'i gilydd deffrôdd testun y llyfr ei hun ddiolchgarwch ynof, am i'r fath antur â'r Wladfa Gymreig ddigwydd, ac iddi lwyddo yn nannedd anffawd a threialon.

Anodd dweud yn union pa gymhellion sy'n sbarduno dyn i sgrifennu llyfr, neu i eilio cerdd. Gwn mai yng Nghwm Rhondda (lle cymwys, fel y cawn weld) y ganed ynof gyntaf chwilfrydedd ynghylch y Wladfa. Mae gennyf gof clir am y foment pryd y gwelais yn blentyn, mewn tŷ ym Metaxa St ar y Ton, ffotograff bychan ar y silff ben-tân, a ddarluniai grŵp o Gymry oedd wedi ffoi i'r topiau rhag y llifogydd mawrion yn afon Chubut ddiwedd y ganrif ddiwethaf. Nid amherthnasol ychwaith i dŵf yr ymwybyddiaeth oedd yr enw "Patagonia" a roir ar y darn hwnnw o dir agored, llwm, sydd am y mynydd â Chwm-parc, ger Treorci. Yn ddiweddarach ar fy ngyrfa, wedi imi arbenigo mewn astudiaethau Sbaeneg, tyfodd y chwilfrydedd yn argyhoeddiad y dylwn fynd ati i geisio agor drosof fy hun ddeuglo drws y Wladfa, sef y diwylliant Cymraeg, a'r diwylliant Sbaeneg. Ond bu rhaid aros yn hir cyn llwyddo i droi argyhoeddiad yn bosibilrwydd. Daeth y cyfle pan estynnodd Cyngor Celfyddydau Cymru gymorth ariannol sylweddol imi gael gwneud taith i wlad Ariannin ar droad blwyddyn 1971/2; a derbyniais yn hael hefyd gan Mrs A. I. Astor, drwy ei hymddiriedolaeth deuluol, a chan Brifysgol Leeds lle'r oeddwn yn darlithio yn yr adran Sbaeneg. I'r rhain yr wyf yn fwyaf dyledus am y cyfle i edrych y tir, ac ymchwilio peth i gefndir hanesyddol y lle. Dyma heddiw ffrwyth y fenter.

Nid llyfr hanes mo hwn, na llyfr ysgolheigaidd. Dyna un

rheswm paham yr hepgorwyd troed-nodiadau, er imi geisio rhoi syniad yn yr adran nodiadau am y prif ffynonellau lle tynnais faeth. Yn hytrach, llyfr personol ydyw, ymgais un person i weld a dehongli ei destun yn ei ffordd ei hun. O ran ei gynllun gellir meddwl amdano fel nifer o ddrychau yn adlewyrchu'r un testun canolog. Nid ydyw yn waith arbenigwr, ac oherwydd hyn bu'n haws imi dynnu'n eofn a diolchgar ar brofiad a thystiolaeth arbenigwyr mewn gwahanol feysydd, yn ddaearyddiaeth, hanes, cymdeithaseg, ac ieitheg. Mae fy nyled fwyaf, yn naturiol, i ddau brif efrydydd hanes y Wladfa, sef R. Bryn Williams a'i fab Glyn: hebddynt buaswn yn ymbalfalu yn y tywyllwch, nid yn unig mewn ymchwil am y ffeithiau, ond i raddau hefyd am y dehongliad arnynt. Sut bynnag, gwnaeth yr awdur beth hefyd o'i ben a'i bastwn ei hun. Darllenodd rai o'r haneswyr cynnar, Abram Mathews, Ceredig Davies, a W. M. Hughes; ac adroddiadau fel eiddo Musters, Ernest Scott, a thyston swyddogol eraill Brenhiniaeth Lloegr. Ceisiodd hefyd weld y Wladfa oddi mewn i draddodiad hanesyddol a llenyddol gwlad Ariannin, y mae hi bellach yn rhan annatod ohoni.

Yn ystod f'amser yn y Wladfa cefais, drwy garedigrwydd y ceidwad Miss Tegai Roberts, fynediad rhwydd i Amgueddfa'r Gaiman, a'i drysor o bapurau a chreiriau eraill. Gwnaeth ymweliad brysiog ag Amgueddfa newydd Trevelin argraff glir arnaf o ddiwylliant materol y Gwladfawyr, ac yn y dreflan honno cefais gyfle i wrando ar y tâp a wnaethpwyd gan y Br Freddie Green a Mary Green o ddyddiadur coeth John D. Evans, *Baqueano.* Trwy gymorth hanesydd lleol ymroddedig Trelew, y Br Ceiriog Hughes, cefais fwrw golwg dros eitemau diddorol, yn arbennig ei gasgliad (a wnaed yn gyntaf gan wahanol gasglwyr mewn cystadleuaeth yn Eisteddfod y Wladva) o enwau Cymraeg llawer o ffermydd a thai'r Dyffryn. Yn ôl yng Nghymru, tynnais ar rai defnyddiau yng Nghasgliad Patagonia Llyfrgell Coleg y Brifysgol, Bangor, gan gynnwys dyddiaduron Llwyd ap Iwan, un o'r gwladychwyr mwyaf hynod a gwreiddiol; ac yn y Llyfrgell Genedlaethol yn Aberystwyth, yn rhifynnau blynyddoedd cynnar *Y Dravod,* dysgais lawer am broblemau'r Wladfa, a phryderon a chwynion ei phobl, gan weld ynddynt hefyd, fel mewn drych, y modd y newidiai'r Wladfa Gymreig yn ei dehongliad ohoni ei hun, ac yn ei pherthynas â gwlad ac iaith Ariannin. Sgwrsiais gyda'r Parch. Harri Samuel, Rhaeadr Gŵy, a'i wraig, a fu'n gwasanaethu am gyfnod fel gweinidog yn Nhrevelin, a darllenais hefyd y dyddiadur syber a gadwodd ef.

Ond y mae fy nyled fwyaf i bobl y Wladfa heddiw, gan mai eu tystiolaeth hwy (yn arbennig yr hen bobl) a glywir fynychaf yma. Cynhwysir peth ohoni'n uniongyrchol, gan imi roi cyfle iddynt lefaru drostynt eu hunain, yn y gobaith y medrwn gyfleu felly i ddarllenwyr yr Hen Wlad swyn a nodweddion arbennig Cymraeg y Wladfa. Eithr llefarodd eraill gyda'r un gwerth a gwarant, ac er na chlywir mo'u lleisiau, gadawsant yn y testun presennol liw a blas y gwirionedd. Rhaid lleisio rhybudd yma. Nid oes gan dystiolaeth person, 'neu gof cenedl, neu grŵp, yr un gwerth â dogfen hanesyddol, ac amhosibl ydoedd imi (yn enwedig mewn cyd-berthynas deuluol neu bersonol) ddarganfod a oedd gosodiad arbennig yn fanwl gywir. Wrth gyfaddef hynny, nid dweud yr ydys fod y dystiolaeth yn gau ar brydiau; yn hytrach, fod iddi werth gwahanol, sy'n aml yn taflu goleuni arbennig ar feddylfryd y gymdeithas, neu syniad y person amdano'i hun, neu ei ran mewn hanes.

Er nad llyfr hanes mo hwn, ceir ynddo beth ymdriniaeth hanesyddol. Fel canlyniad ni ddilynir yr hanes yn ôl ei gwrs cronolegol. Yn hytrach ceisiwyd edrych ar ddigwyddiadau ac agweddau yn eu crynswth, yn y gobaith y cyfleir felly ddarlun mwy cyffredinol, lle delir y ffocws yn gyson gan lygad y sylwedydd. Eithr un effaith y broses hon yw methu weithiau â chadw'r ffin yn eglur rhwng doe a heddiw, neu'n fwyaf arbennig rhwng y Wladfa ym 1890, dyweder, ac ym 1920. Mae'n wir y rhoddai astudiaeth fwy manwl syniad eglurach o'r newidiadau arwyddocaol rhwng un cyfnod a'r llall, ond llyfr gwahanol a fuasai hwnnw, heb yr un cyfle ychwaith i gyfryngu i'r darllenydd y gwelediad personol a geir yma. Wrth addef y namau methodolegol hyn, awgrymir y dylai'r darllenydd ddehongli â'i synnwyr cyffredin yn hytrach nag ag arf finiog rhesymeg goeth.

Geill rhai darllenwyr deimlo nad oes yn y gyfrol hon ddigon o ysbryd beirniadol. Os felly, syrthiaf yn fodlon dan farn eu condemniad, am imi deimlo na chafodd antur y Wladfa y clod na'r sylw dyladwy. Nid anodd taro ar resymau dros hyn: yn wyneb sefyllfa'r wladychfa ymhen canrif, hawdd credu'n gyfeiliornus mai methiant oedd yr antur yn y lle cyntaf; a naturiol iawn yw hi (fel yr awgrymodd Glyn Williams yn ei astudiaeth gymdeithasegol o'r Wladfa) i Gymry heddiw awgrymu mai diffyg egni, neu ddiofalwch, sy'n esbonio methiant y Wladfa i gynnal yr hen gymdeithas, neu i ymaddasu i alwadau ffordd wahanol o fyw—nid yw'r fath feirniaid yn sylweddoli na all cymdeithas newid tros nos, gan ddatblygu greddfau ac arferion gwahanol.

Rhaid peidio â gwneud rhestr or-faith o enwau cymwynaswyr, ond dylid crybwyll o leiaf y canlynol: R. Bryn Williams, a roes aml air o gyfarwyddyd a beirniadaeth; ei fab Glyn, a fu'n gwbl barod imi ddarllen ei thesis Ph.D. ym Mhrifysgol Cymru, ac elwa ar ei ddefnyddiau a'i gasgliadau; Ceinwen Thomas a Robert Owen Jones, fy nghyd-deithwyr i'r Wladfa, a daflodd oleuni mawr ar nodweddion tafodieithol Cymraeg Dyffryn y Camwy a'r Andes heddiw, golau a adlewyrchir yn weddol gywir, gobeithio, ym Mhennod III, y bu Robert hefyd mor garedig â'i ddarllen yn ei chrynswth a'i beirniadu; yr Athro Glanville R. J. Jones (Prifysgol Leeds), a fwriodd olwg bwyllog dros y tair pennod agoriadol; Richard Smith, o'r Adran Ddaearyddiaeth ym Mhrifysgol Leeds, a roes ei gyngor technegol ar bwnc yr heli yn nyffryn Chubut; R. J. Thomas, golygydd Geiriadur Cymraeg Prifysgol Cymru, a roes gyngor ar darddiad rhai geiriau; Elias Garmon Owen, Gaiman, a roes gartref i deithiwr, a ffrwyth ei adnabyddiaeth drylwyr a'i lygad craff; Geraint Edmunds a dywysodd fi ac eraill i rai o gilfachau diddorol y Dyffryn; Megan Rowlands a'i mab Elfai, a fu'n nawdd a chymdeithas yn Esquel. Ac yn ychwanegol at y rhain, yr enwau nas enwir, y cyfeillion cynnes, y cymwynaswyr, y cymeriadau lliwgar, y sgyrswyr, y bobl gyffredin. Nac anghofier ychwaith drigolion newydd yr hen Wladfa, nad ŷnt o gyff Cymreig, ond sy'n mynegi'r un ysbryd rhadlon.

Nid ar chwarae bach y paratoir cyfrol ar gyfer y wasg. Dymunaf estyn diolch i'r canlynol: i Kyffin Williams, am harddu a chyfoethogi'r gyfrol trwy ganiatáu atgynhyrchu ynddi amryw o'i luniau o'r Wladfa, a gedwir yn ei gasgliad pwysig yn y Llyfrgell Genedlaethol, ac i staff y Llyfrgell am eu cyngor a'u cynorthwy; i Bernard Williams, Llanishen, am ei fapiau o Dde America; i Elgan Davies, am ei waith gyda chynllunio'r gyfrol; i swyddogion y Cyngor Llyfrau Cymraeg, am olygu a theipio'r llawysgrif, ac i amryw eraill a fu'n cywiro a chymoni'r testun; i Gyngor Celfyddydau Cymru, am ei gyfraniad sylweddol tuag at y costau argraffu; ac yn arbennig i Wasg Gomer, am eu gofal, amynedd, a thrylwyredd.

Nid gormodiaith yw dweud mai crafu'r wyneb yn unig a wnaethpwyd yn y llyfr hwn: mae'r defnyddiau a erys i'w harchwilio a'u hastudio yn niferus, yn arbennig y rheini a fuasai'n taflu golau ar yr agweddau cymdeithasol, amaethyddol, economaidd, ac ieithyddol. Da gwybod fod o leiaf beth o'r ymchwil pellach hwn yn mynd yn ei flaen. Yn y cyfamser gwnaed ymdrech arbennig yma i gynnwys peth o'r dystiolaeth werinol honno (yn farddoniaeth a llythyrau a sylwadau) a gedwir yn hen rifynnau'r *Dravod*, ac ar dafod-leferydd y werin; ond ni ddi-hysbyddwyd y stôr honno ychwaith o bell ffordd. Ac y mae angen i rywrai fynd ati i bortreadu ac astudio gyrfa a gwaith rhai o brif arweinwyr y mudiad—testunau priodol i fyfyrwyr ymchwil Prifysgol Cymru, ac i gystadleuthau'r Eisteddfod Genedlaethol. Byddai'r astudiaeth bresennol, er ei holl ddiffygion, yn cyrraedd amcan gwerthfawr pe llwyddai i ennyn gwir ddiddordeb yn un o'r agweddau mwyaf nodedig ar hanes datblygiad ein gwlad yn y tair canrif ddiwethaf.

> *O fedel dioddefiadau—dôi llwyddiant,*
> *Eu hil a'u cofiant mewn heulog hafau.*

Caffed Bryn Williams y gair olaf, fel y gweddai iddo.

Y Ton   G.A.D.

Y Dyffryn o'r Paith

I *Wyneb y Tir*

Amhosibl bellach i'r teithiwr talog gael argraff iawn o ba mor
bell yw'r Wladfa o bob man. Y tebyg yw y cyrhaedda Drelew ar
un o'r awyrennau jet sy'n cwrso'n rheolaidd rhwng Buenos Aires
a phrif drefi deheudir y wlad, Trelew, Comodoro Rivadavia, Río
Gallegos, ac ymlaen, petai raid, i'r ddinas fwyaf deheuol yn y
byd, Ushuaia, ar arfordir isaf y Tierra del Fuego. Eithr hyd yn
oed heddiw gellir ymdeimlo i ryw raddau ag anferthedd y wlad.
Yn union wedi gadael Buenos Aires dechreua'r *pampa* ymestyn
yn foelni gwastadlas dros gannoedd o filltiroedd i gyfeiriad yr
Andes. Toc ehedwn dros ben dwy afon fawr, Colorado a Negro,
sydd fel Chubut hithau yn croesi'r diffeithwch o ysgythredd yr
Andes. Ac yna, ar y tu deheuol i'r afon honno a'r Wladfa ar ei
glan, dyma'r peithdir eto'n estyn, gam gwag ar ôl cam, drwy
lonyddwch eithaf De Patagonia, lle crycha'r gwyntoedd nerthol
wlân y miliynau defaid sy'n pori yno. Saif Trelew ei hun lai na
hanner ffordd, drwy'r awyr, rhwng y brif-ddinas a gwaelod
eithaf y cyfandir, a bydd y teithiwr wrth baratoi i ddisgyn o'r
awyren, yn ciledrych ar ei gymheiriaid sydd â'u bryd a'u

breuddwyd ar leoedd dieithr, pellennig, ymhellach i gyfeiriad oerni dyfroedd Antartica.

Chwe chant a hanner o filltiroedd, ac un awr a hanner yn yr awyr—eto mae ystadegau heddiw yn ddigon camarweiniol. Nid yw'r brif heol, er enghraifft, yn dilyn llwybr saeth, ac ar y darn olaf o'r siwrnai, i'r de o Viedma (lle croesir y Río Negro), rhed fwy neu lai gydag amlinell droellog yr arfordir. Gyda'r trên ceir cymhlethdod pellach; ni chwblhawyd y rheilffordd a arfaethid unwaith rhwng Viedma a'r Wladfa; ac fel canlyniad Carmen de Patagones, ar ochr ogleddol y Río Negro, yw terfyn naturiol y daith. Oddi yno gellir dal trên arall i San Antonio ryw gymaint i'r gorllewin, neu logi car yn y fan a'r lle a threulio o leiaf ddiwrnod da arall yn tramwy talaith Río Negro, a rhan uchaf talaith Chubut. Hyd yn oed heddiw nid yw'r darn olaf hwn, sy'n ymestyn am ddau gant o filltiroedd, yn hwylus bob amser i'w deithio, gan fod glawogydd trymion yn medru cau'r ffordd am ddyddiau. Ar hindda neu ddrycin, mewn trên neu fws neu gar, deil un ystadeg chwyslyd i gosi pob teithiwr: naw can milltir o undonedd rhwng dinas Buenos Aires a phen y siwrnai.

Cyn dydd rheilffordd ac asffalt ac awyr, dewis gwahanol oedd gennych, a chofia rhai o'r hen Wladfawyr amdano o hyd. Âi'r darpar deithiwr i Drelew a holi hynt y llong fach a ddilynai'r arfordir, lawr heibio i Borth Madryn. Sylwai'n fanwl ar adeg ei glanio yn y Wladfa, a gwneud amcangyfrif pa bryd y byddai yn ei hôl o Comodoro Rivadavia ymhellach i'r de. Yna, ar y dydd mwyaf tebygol, âi â'i bac ar y trên bach i Borth Madryn, ac oddi yno at y cei a'r llong. Cof byw gan un hen wraig ym 1971 ydoedd cychwyn ar ei thaith i Gymru, yn ferch ifanc: methu â chael amser i orffen ei chinio yn Nhrelew am fod y trên ar gychwyn; yna methu â chael te ym Mhorth Madryn am fod y llong yn yr harbwr. Ond cofiai hefyd am bryd bach hyfryd ar y llong y nos honno cyn codi angor. Tri neu bedwar diwrnod o hwylio union i Buenos Aires, ac wedyn croesi afon La Plata dros nos i godi *liner* y *Pacific Steam Navigation Company* ym Montevideo yng ngwlad Uruguay. Yna, tair wythnos ar y môr cyn cyrraedd Lerpwl. Er gwaethaf y gwahaniaeth yn hyd y ddau brif ddarn o'r daith, hwnnw rhwng glannau Chubut a Buenos Aires oedd y lleiaf sicr ei amseriad—profiad un llencyn drigain mlynedd yn ôl ydoedd hwylio o'r Wladfa a threulio un diwrnod ar ddeg cyn i'r llestr lwyddo i lanio ym mhorthladd y brif-ddinas. Ac yn hanes

cynnar y Wladfa, pryd y dibynnid ar borthladd Rawson yng
ngenau afon Chubut, yn yr adeg cyn llunio rheilffordd ar draws
gwlad i Drelew a chaniatáu felly ddatblygu Porth Madryn,
drylliwyd llawer llong yn yr aber dyrys.

Gwêl llygad barcud y teithiwr drwy'r awyr ddarlun eglurach o
natur y wlad na'r arloeswyr cyntaf, y trueiniaid a laniodd ar
draeth Madryn ym 1865, a llochesu wedyn mewn ogofeydd
gwneud yng nghraig wen, frau y glannau. Dynesa'r awyren dros
ben gorynys ymwthiol Valdés i'r gogledd (lle gwnaeth y Cymry
un o'u hymgyrchoedd ymchwil cyntaf o'r Wladfa), a chroesi tlws
emrallt crwn y *Golfo Nuevo*. O'i flaen gwrymia'r bryniau isel,
llwm sy'n gorwedd rhwng Porth Madryn a Dyffryn Camwy,
deugain milltir o anobaith yn y dyddiau cynnar i'r neb a oedd â'i
hyder ar lesni, ac ar sglain dŵr yr afon. Mewn amrantiad bellach
bydd yr awyren yn difa'r moelni a dadlennu'r Dyffryn fel *mirage*
coediog yn yr anialwch. Eto i gyd, glesni neu beidio, naturiol o
hyd yw gofyn pam ar wyneb daear wladychu yn y fath le. Ac nid
yw gwybodaeth lawnach am gefndir hanesyddol y Wladfa yn
lliniaru fawr ar yr amheuaeth honno.

Bu'r Ariannin, byth er pan ddechreuodd synio amdani ei hun
fel uned boliticaidd, yn datgan ei hawl ar holl diroedd y de.
Mynegwyd yr ymdeimlad hwn yn gofiadwy ar gychwyn clasur
cyntaf llenyddiaeth y wlad honno, *Facundo* gan Domingo
Sarmiento, a gyhoeddwyd ym 1845. Eithr wedi taflu llygad
barus dros holl diroedd dehau'r Is-gyfan-dir Americanaidd,
pwysleisiodd Sarmiento pa mor afreal hyd yn hyn ydoedd
hawliau Ariannin ar ei thiriogaeth ei hun, yn arbennig yn y
rhannau gogleddol a thueddau y de:

> Mae'r anferthedd gwlad sy'n ymestyn ar y ddau ben eithaf
> iddi yn llwyr ddiboblogaeth; mae ganddi afonydd lle gellid
> trafnidiaeth, ond nas tramwywyd hyd yma gan hyd yn oed y
> cwch mwyaf brau. Hyd a lled Gweriniaeth Ariannin yw'r
> broblem sy'n ei phoeni: fe'i cylchynnir ar bob tu gan
> ddiffeithwch sydd yn ymdreiddio hyd yn oed i'w pherfeddion
> hi; unigedd, gwlad ddiannedd ac heb ynddi ddynion, dyma
> yw'r ffiniau diamwys rhwng un dalaith a'r llall.

Mewn amgylchiadau felly prin y gellid datgan cyfanrwydd
unedol Ariannin hyd nes iddi gael ei gwladychu'n llwyrach, a
hyn yn arbennig yn neheudir y wlad.

Gwir yr adnabyddid yr arfordir yn bur dda. Bu Magallanes ei
hun ar hyd iddo ar ei ffordd i lawr at y Sianel sydd o hyd yn dwyn
ei enw, ac ef a'i gymheiriaid ym 1520 a roes yr enw a
ddefnyddiwyd wedyn i ddisgrifio yr holl *terra incognita* o'r Negro
i lawr, ar y ddwy ochr i fynyddoedd yr Andes. Ym mhorthladd
San Julián (lle'r angorodd Magallanes yn gyntaf) gwelsant
Indiaid wedi'u gwisgo "mewn clogau lledr ac esgidiau o groen
guanaco a adawai o'u hôl olion traed anferth", a'r cyfenw
"traed-mawr", *patagones*, a esgorodd ar y gair Patagonia.

Dengys yr ychydig olion caerau a erys yma a thraw y modd y
ceisiodd y Sbaenwyr gael lled troed ar hyd y glannau hyn, a
methu—daeth y Gwladfawyr cyntaf ar draws un gaer o'r fath ar
orynys Valdés. Ceisiodd Brenin Sbaen sefydlu gwladychfeydd er
enghraifft mewn tri man ar hyd yr arfordir mor ddiweddar â'r
cyfnod 1779—1790, yn sgîl adroddiadau'r Jeswit Thomas
Falkner. Rai blynyddoedd cyn dyfod y Cymry bu ymgais i ym-
sefydlu yng ngenau afon Chubut, ac er i honno fethu, rhoes yr
"Hen Gaer" loches dderbyniol i wŷr y Fintai Gyntaf. Pam tybed
y methodd y Sbaenwyr ym Mhatagonia wedi iddynt lwyddo i
ddatblygu cymaint o diriogaethau eraill yn Ne America? Ffactor
bwysig ydoedd dibyniaeth yr Ariannin dros gyfnod o ganrifoedd
ar raglawiaeth (*virreinato)* Periw, a edrychai'n gilwgus ar ran o'i
thiriogaethau oedd â'i hwyneb tuag Ewrop, ac a allai ddwyn
oddi arni felly ryw ddydd ei rhagoriaeth economaidd a pholitic-
aidd. Ond pwysicach ffactor ydoedd y pellter daearyddol—
daliodd y Río Negro yn ffin ddeheuol effeithiol i'r Ariannin hyd
at ddyfodiad y Cymry i'r Chubut, ac er i Francisco de Viedma,
yn y ddeunawfed ganrif, roi ei enw i'r dref a safai'n ddiweddar-
ach ar lan yr Afon Ddu, nid oedd iddi, nac i'w chymar Carmen
de Patagones ar y lan arall, wedd dinas barhaus ym mlynydd-
oedd cynnar y ganrif ddiwethaf. Hyd yn oed yn y tri-degau, pan
ymwelodd Charles Darwin â phorthladd Bahía Blanca (bellach
yn ddinas boblog, ffasiynol, i'r gogledd dipyn o Carmen), gwel-
odd yno amddiffynfa, a dim byd rhagor, yn erbyn y *malones,*
cyrchoedd creulon yr Indiaid, a ymdrechai'n ffyrnig i gadw'u
tiroedd rhag crafanc y dyn gwyn. Pan fu George Musters, awdur
At Home with the Patagonians (1871), yn Carmen de Patagones
ar ddiwedd ei flwyddyn anhygoel ymhlith Indiaid y Tehuelche,
ni chafodd yno ddim byd gwell nag addewid o ddyfodol llwydd-
iannus, a phresennol twyllodrus, crafangllyd yn nwylo Lladinwyr

a ystyriai'r Indiaid druain a Llywodraeth Ariannin fel ei gilydd yn ddim nemor "colomennod cyfreithlon, naturiol, i'w pluo drwy unrhyw foddion diogel."

Ar wahân i'r pellter a'r cyntefigrwydd, y peth a bwysai drymaf yn y fantol yn erbyn gwladychu Patagonia ydoedd natur y wlad a'r hin. Rhoddodd Darwin yn *The Voyage of the Beagle* ddisgrifiad ohoni sy'n cyfuno dehongliad y gwyddonydd a gweledigaeth yr artist. Sylwasai'n gyntaf mai cywasgiad o olion cregyn a mân gerrig ydoedd darnau helaeth o Batagonia, a myfyriodd ar y broses oesol, ddi-ildio a gynhyrchodd diroedd felly:

Pan ystyriwn fod y cerrig mân hyn i gyd, aneirif fel gronynnau tywod y diffeithwch, yn gynnyrch araf gwympiadau darnau helaeth o graig ar hyd hen arfordiroedd y môr a glannau'r afonydd; ac i'r darnau hyn yn eu tro gael eu torri'n ddefnynnau llai, ac i bob un ohonynt gael ei araf dreiglo, ei falu'n grwn, a'i ddwyn ymhell, y mae meddwl dyn yn synnu wrth ystyried treigl hir, a chwbl angenrheidiol, y blynyddoedd.

Gwaith y môr felly oedd y gyfres o wastadeddau cyfochrog a godai ris ar ôl gris nes cyrraedd yr Andes. Penderfynodd mai yno ar y clogwyni tragwyddol y dechreuasai'r môr ei waith, ac i bob trai oesol adael o'i ôl arfordir creigiog, cregynnog, a thu blaen iddo wastadedd lle buasai'r dyfroedd gynt yn chwyrnellu, ac yn bwrw'u hysbwriel organig. Yn sgîl y môr daeth grymoedd eraill: afonydd iâ'r Andes yn moldio'r tir a chario'r broc yn eu côl nes ei wasgar ymhell; a llaw lychlyd y gwynt yn naddu'r creigiau a'r dyffrynnoedd nes creu weithiau ffurfiau rhyfedd fel a welir yn yr Allorau, ar y ffordd o'r Dyffryn i'r Andes.

Diffeithwch organig felly ydyw darnau helaeth o'r Paith (enw'r Cymry arno), nid anialwch tywodlyd, marw. Gardd ydyw heb arddwr, ac heb brif gyfaill y garddwr, sef digonedd dŵr. Mae Patagonia'n wlad hynod sych, am fod y gwyntoedd nerthol o'r gorllewin yn gollwng eu glaw ar lethrau Chile. Y maent hefyd yn sychu, yn hytrach na dyfrhau, y tiroedd ar ochr Ariannin i fynyddoedd yr Andes. Derbynia darnau o Batagonia felly lai na deng modfedd o law yn y flwyddyn, a rhyw chwe modfedd yw'r cyfrif yn Nyffryn y Camwy. Yn y gaeaf y syrthia'r glaw yn

bennaf, a thuedda'r hafau poethion, a'u gwyntoedd sych, i
ddwyn o'r tir yr ychydig wlybwr a erys. Y mae'r *salitrales,*
llynnoedd heli a fydd weithiau'n llwyr sychu yn yr haf, yn nod-
weddu darnau o'r anialwch. Ar y llaw arall, fel y gallai rhai o
hen ddwylo'r Paith dystio, ceir mewn rhai mannau ddigonedd o
ddŵr, dim ond cloddio amdano, tra yn y gaeaf bydd y glaw yn
cronni weithiau ar yr wyneb. Ar eiliad prin o ymateb telynegol
disgrifiodd Musters un o'r ffynhonnau crwn hynny a geir yn aml
ym Mhatagonia, "gyda'u canol o dywod llyfn, gwyn . . . lle
byrlyma'r dŵr fel crisial tawdd"; "llygaid yr anialwch," chwedl
yr Indiaid.

Ond os yw'r hin yn sych, mae hi hefyd yn gymedrol o ran tym-
heredd. Ni chyfyd gwres yr haf ar gyfartaledd yn uwch na 15°C,
ac er bod yr *heladas,* y rhew boreol sydyn, yn bla weithiau, nid
yw'r cyfartaledd yn y Dyffryn yn y gaeaf yn is na rhyw 5°C.
Ffeithiau hynod yw'r rhain o gofio fod y Wladfa ar yr un lledred
(ond o'r tu isaf i'r gyhydedd) â chanolbarth Sbaen, neu waelod
yr Eidal, lle ceir gwres tanbeitiach yn yr haf. Amheus ddigon
ydoedd methodau gwyddonol awdur *Llawlyfr y Wladychfa
Gymreig* (1862), ond yr oedd ei gasgliadau yn y cyswllt hwn yn
gwbl gywir, ac ni ellid anghytuno â'i ddatganiad fod y tymheredd
yn y rhan hon o Batagonia yn hyfryd, ac addas i gyfansoddiad y
Cymro!

Ymddengys y Paith yn ei wedd feunyddiol yn gwbl ddiffrwyth,
a thuedd barod y dieithryn yw credu na allai'r un creadur fyw
yma. Hyd heddiw dyfynnir gan bobl Patagonia frawddeg fachog
Charles Darwin, fod melltith diffrwythdra ar y tir. Ond mewn
gwirionedd rhydd y drain a'r llwyni eraill sy'n cuddio'r
arwynebedd loches i borfa felys, ac yn y gaeaf ceir yma dyfiant
gweddol—dysgodd rhai o'r Gwladfawyr eu gwartheg i grwydro
o'r Dyffryn i chwilio am gynhaliaeth ar y Paith yn ystod y tymor
hwnnw! A phan ffynnai bywyd yr Indiaid yn nyddiau cyntaf y
Wladfa, ni châi'r grwpiau crwydrol hyn—a ddygai eu *toldos* o
grwyn gyda hwy fel cregyn malwod symudol—drafferth i hel eu
tamaid beunyddiol o gig guanaco, estrys, armadillo, a
chreaduriaid eraill, heb boeni i gadw dim ar gyfer trannoeth.
Bellach cynefin y ddafad yw'r Paith. Gellir magu arno ryw
bedair i bob hectar (2½ acer), dim ond iddynt fod yn wydn, a
pharotach felly yw eu cyrff i fagu cnu na chig. Hon felly yw gwlad
y *merino*, ac i lawr yng ngwaelod Patagonia megir dau gant a

hanner o gefnau gwlân am bob copa gwalltog. Mewn ambell fan ar y Paith lle ceir ffynhonnau (a melin wynt fynychaf yn gweithio'r pwmp dŵr), gellir cadw gwartheg at iws y teulu, a thyfu llysiau, er mai cyfleustra yw hyn yn hytrach na sylfaen masnach, gardd fechan yn yr anialwch.

A gardd felly hefyd ydyw Dyffryn Chubut ei hun. Sefwch yn rhywle ar ei ymyl deheuol. I gyfeiriad y de dim ond crynder y ddaear a warafunai i'ch llygad dreiddio hyd at y Tierra del Fuego ar draws y sychtir llwyd, heb ddim i dorri arno ond tŵr ambell felin wynt. Ond trowch wedyn tua'r gogledd, a gwelwch o'ch blaen baradwys lydan, yn estyn i fyny ac i lawr yr afon, ac am ryw bedair i chwe milltir ar ei thraws, hyd at y llethr draw, lle'r ail-gydia'r Paith yn ei hen gynefin. Saif llawr y Dyffryn rhwng tri chant a phum cant o droedfeddi islaw lefel y *plateau*, gan ffurfio felly loches glyd rhag gerwinder y gwyntoedd.

Ymsefydlodd y Cymry yma, yn yr hanner can milltir cyntaf, rhwng aber afon Chupat (neu Chubut) yn Nhrerawson a'r man lle culhâ'r Dyffryn. A thu mewn i'r ceule hirgrwn hwn ceid un rhaniad naturiol arall y soniwyd tipyn amdano yn y dyddiau cynnar, sef y dyffryn isaf a'r dyffryn uchaf; a'r Gaiman, y "lle cul" yn iaith y brodorion Indiaidd, yn rhandir rhwng y ddau, gan fod y ddwylan yn nesáu at ei gilydd yn y fan honno. Bu adwy'r Gaiman am hir hefyd yn ffin naturiol i'r gwladychu, gan i'r Cymry cyntaf lynu wrth y tiroedd o gylch Rawson yn y dyffryn isaf. Bu graddol ddatblygu ar y tiroedd cyfagos, ond dim ond gyda dyfodiad y minteioedd diweddarach y daeth galw am ddatblygu'r dyffryn uchaf. Nid damwain ydyw fod olion iaith Morgannwg yn amlach ar dafod leferydd pentref Gaiman ac ardal Treorcki hyd heddiw, gan mai o ardaloedd Cwm Rhondda ac Aberdâr y daeth ymfudwyr 1875 a 1876 yn bennaf, yn yr union gyfnod pan sefydlwyd pentref Gaiman.

Gwnaed ymgais yn gynnar i fwrw golwg dros yr ardaloedd yn uwch i fyny na'r "dyffryn uchaf". Aeth rhai arloeswyr gymaint â chan milltir ar hyd yr afon, ac adroddwyd eu hynt gan y Parch. Abram Mathews yn ei *Hanes y Wladfa Gymreig yn Patagonia* (1894): "Gadawsant eu ceffylau yn y pant ar lan yr afon, a dringasant ar eu traed i ben y creigiau hyn, er cael gweld a oedd yno wlad yn agor yn uwch i fyny." Ond siom a gawsant o weld dim byd yno ond rhagor o greigiau. Bodlonodd y sefydlwyr felly ar wladychu i fyny at ardal Tir Halen, heb fynd ymhellach na

hynny. Ffactor seicolegol (ac economaidd) bwysig oedd y cyf-
yngiadau daearyddol hyn. Er gwaethaf yr angen i sicrhau mwy o
boblogaeth i'r Wladfa er mwyn ei datblygiad a'i llwyddiant, nid
oedd ynddi'r adnoddau at gynyddu'n fwy na hyn a hyn. Sicrhâi
cynnydd naturiol y teuluoedd, ar y llaw arall, y byddai rhaid
rhannu'r tiroedd rhwng y plant, a gwneud yr unedau'n llai eu
maint, ac yn llai proffidiol. Dyma sefyllfa a arweiniai yn y pen
draw at "wanc am dir", ond amhosibl fyddai ei ddiwallu trwy
symud i diroedd eraill yn y cyffiniau diffaith hyn. O symud o
gwbl rhaid fuasai mynd ymhell, i sefydlu gwladychfa newydd,
neu i chwilio am gynhaliaeth ymhlith estroniaid, mewn bro neu
wlad arall.

Ychwanegai'r cyfyngiadau daearyddol a'r pellter o bob man
yn ddifrifol at broblem marchnata'r cynnyrch. Rhaid fuasai
wrth drafnidiaeth rwydd, a gafael sicr ar ganolfannau poblog a
fedrai brynu cnydau'r Wladfa. Hyd yn oed heddiw yn nydd y
lorri a'r awyren erys marchnata a'i broblemau yn bwnc llosg.
Cymaint yn fwy oedd y trafferthion pan ddibynnid yn llwyr ar
dramwy ansicr y llongau rhwng Rawson, neu Borth Madryn, a
Buenos Aires, ac ar brisiau ansicr, a oedd ar drugaredd ffawd
ac onestrwydd amheus y masnachwyr. Naturiol felly ydoedd i
bobl geisio llunio cysylltiad uniongyrchol dros y tir, rhwng
Dyffryn Chubut a'r Río Negro. Gyda'r syniad hwn mewn golwg
ceisiodd nifer bychan o Wladfawyr ledio'r ffordd drwy'r
anialwch, gan ddibynnu am wlybwr ar beiriant bach i ddistyllu
dŵr y môr, ond ymhen dau ddiwrnod bu raid iddynt droi'n ôl
oherwydd syched, gan na rôi'r peiriant gyflenwad digonol.
Dychwelasant yn drist i'r Dyffryn, fel carcharorion a
ddihangodd, a chael wedyn fod wal ddiadlam arall o'u cylch.
Creai'r amodau daearyddol hyn yr ymdeimlad o arwahanrwydd
diarbed, manteisiol o safbwynt unoliaeth ac identiti fel
cymdeithas, ond andwyol i'r graddau na chaniatâi gynnydd
oddigerth trwy chwyldro yn y ffordd o fyw.

Sut y tyfodd, a newidiodd, gwedd y wlad? Erys peth an-
sicrwydd pa olwg yn union a oedd ar y Dyffryn cyn dyfod y
Cymry. Bu'r Capten Fitzroy, pennaeth y *Beagle,* yng ngenau'r
afon ym 1833, a chyfeiriodd yn ei adroddiad at yr olwg a gawsant
ar y wlad. Dolydd gwastad, meddai, ac arnynt borfa doreithiog.
Ond yn ôl tystion arall, drain yn unig a dyfai, a'r helyg a
ddilynai gwrs yr afon. Y gwir, debyg iawn, yw fod y ddau

adroddiad yn eu ffordd yn gywir. Fodd bynnag, dengys hanes Abram Mathews iddynt ddechrau ar eu tasg o ddiwyllio trwy droi a hau'r tiroedd hynny lle ceid peth addewid am dyfiant eisoes, gan adael "y tir du digroen", a ymddangosai iddynt yn gwbl ddiffrwyth. Gwyddys mai ar ddamwain bron y darganfuwyd yr angen i ddyfrhau, a rhan o'r wyrth fu dangos posibiliadau'r erwau diffaith hynny.

Y dyfrhau wrth gwrs a achubodd y Wladfa, a hynny dros nos megis. Gymaint fu'r llwyddiant nes iddynt osod fel testun eisteddfod yn Rawson, yn fuan wedyn, y teitl "Gweryd y Wladfa". Aeth un o'r beirdd i dipyn o hwyl wrth ganmol ffrwythlondeb y Dyffryn:

> Planwch ynddo gynffon mochyn,
> Cyn hir cewch weld yr egin.

Y cam nesaf ydoedd cloddio ffosydd a chamlesi a ddygai'r dŵr i'r holl diroedd. Llafuriwyd yn galed a chyson, a chofia hyd yn oed rai o Wladfawyr heddiw am chwys yr ymdrech, a barodd am flynyddoedd. Ar fore oer o aeaf, er enghraifft, dwyn prysgwydd a'u gwasgaru ar y darn yr arfaethid ei gloddio, ennyn tân, ac aros i'r gwres ddadmer croen y ddaear er mwyn llwyddo i dorri drwy'r arwynebedd haearn. Ar ddydd o haf, codi erbyn pump y bore, a llafurio nes i fraich yr haul lorio dyn ganol dydd a'i gadw yno hyd nes y dôi cyfle i ail gydio yn y gwaith amser te. Hyd yn oed wedi cael y gamlas at dir dyn, ni pheidiai'r caledwaith: dyfrhau weithiau am ddiwrnodau'n ddiatal ddydd a nos, am mai dyna oedd yr unig fodd i sicrhau'r dogn cyflawn cyn i rywun arall gael ei gyfle. Amrywiai'r ffosydd o ran eu maint, ond yr oedd y rhai mwyaf yn naw troedfedd o ddyfnder, a deuddeg ar draws. Yr oedd y rhai bychain, a arweiniai'n syth ar draws o'r afon, yn dechrau'n ddwfn, ond gan fod arwynebedd y tir o gylch y ceulannau'n uwch na'r tiroedd pellaf (lle'r ysgubid y pridd sych gan y gwynt, heb fod gwreiddyn neu gysgod i'w gadw yno), erbyn i'r dŵr gyrraedd pen y daith, llifai allan yn naturiol i wyneb y tir. Erbyn 1886 ceid tair camlas fawr, 187 o filltiroedd o hyd, ac amcangyfrifid eu gwerth yn £35,000.

Yn y lle cyntaf nifer o ddynion yn gweithio ar y cyd mewn ffordd anffurfiol a ddygai'r gwaith i ben, ond gwelwyd gydag amser mai'r unig ateb i broblemau dyrys dyfrhau ac atal dyfroedd

Rhodau Dŵr, Dolavon

gorlif ydoedd creu cwmnïoedd bychain a chanddynt y cyfalaf a'r adnoddau i lunio camlesi ac argaeau yn ôl y gofyn. Erbyn 1910 fe unwyd y cwmnïoedd bychain yn *Gwmni Dyfrhau Unedig Camwy,* a chan mor bwysig ydoedd dyfrhau i'r economi, gellir dilyn yn hanes y berthynas rhwng y Cwmni a'r Llywodraeth ymgais y Wladfa i gadw'i hannibyniaeth. Wedi i'r Llywodraeth ddatgan ei hawliau ar ddyfroedd y wlad bu ffrae rhyngddi a'r Gwladfawyr, a chanlyniad hyn fu i'r hen Gwmni gael trwydded a rheolau newydd ym 1930. Wedi i'r Llywodraeth ym 1944 draws-feddiannu adnoddau'r Cwmni clywyd y gŵyn i'r cwmni cenedlaethol a'i swyddogion esgeuluso'r gwaith ac i'r amaethu ddioddef o ganlyniad. Ond heddiw megis doe, waeth pwy a lywodraetha'r dyfroedd, eu rhediad cyson yn unig a all sicrhau y bydd i'r cnydau egino yn y meysydd.

Newidiodd y modd o amaethu dipyn gyda threigl y blynydd-oedd, ac effeithiodd hyn ar wedd y Dyffryn. Gwenith oedd y prif gnwd am gyfnod hir o flynyddoedd wedi i'r Cymry ddarganfod cyfrinach y fro. Ymffrostiai gwŷr y Wladfa cyn diwedd y ganrif yn y ffaith i wenith Benjamin Brunt ennill y wobr gyntaf yn Sioe Chicago yn erbyn cystadleuwyr o ddeunaw ar hugain o wledydd. Dywedodd Ernest Scott yn ei adroddiad ar y Wladfa wrth Lywodraeth Prydain ym 1902, fod y grawn o'r ansawdd gorau, ac y "cymharai'n rhwydd â gwenith gorau Manitoba". Eithr magwyd tipyn o stoc hefyd, hyd yn oed yn y dyddiau cynnar. Cyfeiriai Abram Mathews at nifer y creaduriaid tua 1885 fel chwe mil o ddefaid, mil a hanner o geffylau, ac wyth mil o wartheg, ac er gwaethaf y newid a fu wedyn ym mhatrwm amaethu'r Dyffryn ceid o hyd chwe mil o wartheg ym 1943/4, tra cynyddodd nifer y defaid dros bedair gwaith. Rhyfedd ar un olwg na fu mwy o ddefnyddio'r Paith ar gyfer magu defaid, fel y gwnaeth yr Albanwyr yn nhueddau y Tierra del Fuego. Yn sicr wedi cyfnod y llifogydd (y cawn sôn mwy amdanynt yn ddiwedd-arach), bu rhai'n argymell yn ddoeth y dylid cadw tiroedd pori ar y Paith er mwyn osgoi colledion llwyr trwy orlifiad. Ond ychydig a fanteisiodd ar y syniad hwn. Yn wir awgrymodd Abram Mathews un rheswm dros y methiant i fanteisio'n llawn ar y Paith, fod y bywyd unig, heb gysylltiad parhaol â'i gyd-ddyn, yn erbyn natur gymdeithasgar y Cymro.

Effeithiwyd yn fawr ar amaethu'r Gwladfawyr gan lwyddiant yr alffalffa, neu'r gweiryn *Lucerne.* Eisoes erbyn 1894 cyfeiriai

Abram Mathews at y ffermwr gyda'i "gae neu ddau o Alffalffa".
Yn y diwedd llwyddodd y gweiryn gystal nes disodli'r gwenith.
Aeth yn ei flaen wedyn i'r fath raddau fel y cynrychiolai erbyn
1936 saith deg y cant o erwau cynhyrchiol y Dyffryn. Eto i gyd,
hyd yn oed ar ddiwedd yr Ail Ryfel Byd tonnai tua phymtheng
cant arall o'r erwau hynny gan wynder y cynhaeaf gwenith. Un o
fanteision yr alffalffa ydoedd y gellid hefyd ei dyfu ynghyd â'r
gwenith, gan gynaeafu'r ddau wrth gwrs ar adegau gwahanol.
Torrid y gwenith a'r alffalffa'n gymysg y waith gyntaf, a daliai'r
gweiryn cyforiog i dyfu eilwaith. Yn wir, yn hin gynnes y Dyffryn
cyrhaeddai hyd at uchder ysgwydd dyn, a gellid cael tri chnwd
yn y flwyddyn. Yn y dyddiau cyntaf fe'i tyfid ar gyfer hadyd, ond
wedyn dechreuwyd gwerthu'r gwair, neu ei ddefnyddio at
fwydo'r stoc. Ar ôl gwasgu'r alffalffa gellid ei allforio, a cheid
marchnad barod ar ei gyfer ym mhorthladdoedd Talaith Santa
Cruz ymhellach i'r de.

Os gellir sôn am Oes Aur yn hanes y Wladychfa—ac y mae
hi'n real yn atgofion llwythol y Dyffryn fel yr ydoedd Arcadia'n
real i'r Oes Glasurol—digwyddodd yn nechrau'r ganrif hon,
wedi i'r ffermwyr adfer eu colledion yn nilyw 1899/1900, a chyn i
brisiau ffafriol cnydau Ariannin (yn fewnol, ac ar farchnad y
byd) ddechrau gostwng ym mlynyddoedd y Rhyfel Mawr Cyntaf.
Rhagfynegir ysbryd ysgafn, ffri y cyfnod hwnnw mewn cerdd a
gyfansoddwyd yn un o gyfarfodydd Cymdeithas Lenyddol y
Gaiman ym 1896, ar y testun "Cario gwenith—Cario lawr".
Ymdeimlir yma â llawenydd tymor y cynhaeaf, a'r wagenwyr
yn cystadlu i fod yn gyntaf i gyrraedd siop y Co-op i werthu'u
cynnyrch:

> Pan ar y ffordd bydd naw neu ddeg
> O'r gyrwyr difyr yma,
> Pob un a'i getyn yn ei geg
> Yn mygu am y mwyaf;
> Fe frolia un o hyd
> Ei geffyl gwyn fel shafftwr,
> A'r llall yn brolio'i English-breed,
> Na fu'n y byd fath dynwr.
>
> Fe yra ambell un yn ffol
> Er pasio'r oll o'r cwmni,
> Ac felly hefyd wrth ddod 'nol,
> Cael ras yw ei holl hobby.

Ac er i'r gwenith ildio'r maes yn y pen draw i'r alffalffa a chyn-
hyrchion eraill, ni pheidiodd hud y weledigaeth doreithiog wen â
chwarae ar ddychymyg y bardd, ac yn wir ar gof llwyth. Fel hyn y
gwelodd Morus ap Huws hi mewn soned a sgrifennodd ym 1937
i'r Amaethwr ar ddydd cynhaeaf:

> Mae ôl y brwydro caled gyda'r chwyn,
> I'w weld yn amlwg ar ei rudd a'i law;
> Ac ar yn ail â'r chwys yn ddafnau bras
> Disgyn wna'r sgubau yn gawodydd trwm:
> Y menni llwythog dynnant tua'r ddas,
> A'r maes toreithiog welir eto'n llwm.

Gorffennodd trwy gyfeirio at y "tonnau o lawenydd" ym mron yr
Amaethwr; trodd y gawod ysgubau yn fôr o lawnder.

    Pennwyd gwedd y Dyffryn i raddau helaeth gan y modd y dos-
barthwyd y tir. Derbyniodd y Gwladfawyr cyntaf gant a chwech
o erwau gan y Llywodraeth, un uned ar gyfer pob teulu, neu
ddau ddyn di-briod. Ac mewn gwlad mor wastad a chryno bu
modd mesur y tir yn sgwarau mawrion, heb ddim i amharu ar y
geometri ond trofeydd yr afon ac ymwthiad llechweddau'r
Dyffryn. Ar y llaw arall deuai ymlwybriad dolennog Chubut ag
anghysondeb cyfatebol i wedd y wlad: rhwydwe osod felly o'i
gwrthgyferbynnu â hynt fympwyol y ffyrdd a ddilynai'r afon. Ac
fel pe i'n hatgoffa o'i phwysigrwydd deil yr afon heddiw i bennu
enwau'r mannau lle newidia ei chyfeiriad: Y Drofa Dulog,
Y Drofa Gabaets, Y Drofa Hesg. Cyn dyfod yr amryw bontydd
rhaid oedd wrth gwch i groesi o un ochr i'r Dyffryn i'r llall.
Mewn lleoedd pwysig, fel yn ymyl capel neu ysgol, gwelid fod
bad ar gael i ddwyn y capelwyr neu'r plant at eu moddion.

    Ond os oedd ffiniau'r ffermydd yn glir ar fap nid oeddynt
felly, o bell ffordd, ar lawr y Dyffryn. Yn y *Dravod*, er enghraifft,
ym 1896, ceir llythyr gan ryw hen ffermwr a fu'n byw yn Y
Wladfa ers deng mlynedd ar hugain, "ac yn byw ar fy ffarm, os
wyf yn byw arni hefyd? er's 27 mlynedd, ac nis gwn heddyw pa le
mae fy nherfynau". Yn naturiol ychwanegai'r ffiniau aneglur at
broblem y ffyrdd. Aeth y ffermwr yn ei flaen trwy ddweud "fod
treio teithio y dyffryn yma, yr un fath, os nad yn waeth, na thrio
teithio llethrau yr Andes—yn ffosydd ac yn wrychoedd, ac yn
wenith i hwn a'r llall, lle medde nhw, y dylasai ffordd fod. Sôn

am *mañana* y wlad hon, a'r bobl fawrion yna tua Buenos Ayres
yn dyweyd nad ydyw Cymru yn y Wladfa yn dysgu eu hiaith. Ni
welais i neb erioed yn dysgu yn gynt, nid yn unig yr iaith, ond eu
harferion hefyd.'' Y mae'r achwyniad ar bobl Buenos Aires yn
ein hatgoffa hefyd i gwestiwn hawlfraint a gweithredoedd ar dir-
oedd yn y Wladfa ac yn yr Andes fod yn bwnc llosg ar hyd y blyn-
yddoedd. Teimlodd y Cymry yn aml iddynt fod ar eu colled am
na chydnabyddid eu hawliau cyfreithlon. Dengys llythyr yr hen
ffermwr nad oedd pethau wedi gwella fawr oddi ar i ryw Sowthyn
ar dudalennau'r *Dravod* (1891) gwyno am gyflwr y ffordd rhwng
Trelew a Gaiman, ac awgrymu'n weddol bendant wrth yr awdur-
dodau y dylent ofalu'n well am y ffordd i Rawson, sef canolfan
awdurdod. Ychwanega'n fygythiol: "Ond coviwch chi, wyr
budir, ma oddi vri ni y ma pob bendith yn dod i chi, ac os na
lenwch chi'r twlle sy'n briwon gwageni, mi dodwn chi, wyr da,
ynty nhw, tyna chi: ac mi gwnwn warnins ar ych bedde chi erbyn
y lecswn nesa." Gellir amau dilysrwydd y llythyr, ond nid yr
ergyd ynddo.

Beth am y tyfiant naturiol? Erys mewn rhai mannau eto beth
o'r drain a welodd y Gwladfawyr cyntaf, a daliant yn nodwedd
hanfodol o'r Paith. Ond ceir hefyd amryw o goedydd, yn
arbennig yr helyg sy'n nodi cwrs afon Chubut, hyd yn oed yn
uwch i fyny, ymhell bell ar lwybr yr Andes; a'r rhesi poplys, a
blannwyd o leiaf mor gynnar â 1893, ac sy'n dilyn rhediad y
ffyrdd traws, ffiniau'r ffermydd, ac weithiau lannau'r camlesi.
Yn naturiol, lluosogodd y porfeydd hynny y cyfeiriodd Capten
Fitzroy atynt, ac yn fwy diweddar effeithiwyd ar wedd y wlad
fwyfwy gan ddatblygiad y perllannoedd, a'r tiroedd at dyfu
llysiau, a ffrwythau ar lwyni. Bellach mae'n rhestr sylweddol, a
rhaid fuasai nodi fel cynhyrchion diweddar, datws, *garbanzos,*
pumpkins (zapallos), tomatos, ac ymhlith y ffrwythau, afalau,
ceirios, eirin, *peaches,* gellyg, grawnwin, a chyrans duon a
chochion. Nid peth newydd fu tyfu llysiau a ffrwythau, gan i'r
Cymry yn y cyfnod cynnar eu codi at iws y tŷ. Trueni fod eu
llwyddiant yn llawer diweddarach fel cynhyrchion masnachol yn
adlewyrchu gwanychiad safle'r Cymro yn ei fro ei hun. Paham
hyn? Yn y lle cyntaf rhannwyd y tiroedd eang yn ddarnau llai ar
farw'r pen teulu, ac yn llai fyth eto yn y genhedlaeth a
ddilynodd. Yn y diwedd aeth y rhain yn rhy fychain i'w ffermio'n
economaidd yn ôl hen ddull y Cymry o weithio'r drydedd ran o'r

fferm bob blwyddyn, gan adael dwyran i orffwys. Gymaint â
hanner can mlynedd yn ôl rhagwelwyd y sefyllfa hon gan ryw
Gymro ffraeth: "Fe fydd ffermydd y Gaiman yma," meddai
hwnnw, "yn mynd ryw ddydd yr un peth â gwlâu wynwns." Ac
nid gwlâu y Cymry ychwaith. Oherwydd ffactorau economaidd
anffafriol, gwerthodd llawer o'r Gwladfawyr eu lleiniau tir i'r
Lladinwyr, proses a ddilynodd yn fwyaf arbennig y dylifiad
Eidalwyr a Sbaenwyr a ddaeth i'r Ariannin yn sgîl yr Ail Ryfel
Byd a'r Rhyfel Cartref yn Sbaen.

I ryw raddau, wrth gwrs, manteisiodd y Lladinwyr hyn ar eu
profiad, mewn gwledydd eraill, o amaethu ar raddfa ddwys ar
leiniau bychain. Ond hyd yn oed ar y ffermydd hynny yn y
Chubut lle'r arhosodd erwau helaethach yn nwylo'r teulu,
digwyddodd proses gyffelyb. Testun rhyfeddod yw'r modd y
gostyngodd, ers y pum-degau, y defnydd a wneir o'r erwau
amaethadwy. Gostyngodd o 27%, er enghraifft, yn y
blynyddoedd rhwng 1956 a 1964! Esbonnir hyn gan sawl ffactor.
Nid oedd fodd amaethu'n economaidd mwyach ar holl dir y
fferm, yn arbennig wedi i amryw o'r meibion a'r gweision
ffermydd ymadael i weithio mewn ffatrïoedd a sefydlwyd yn y
Dyffryn gan y Llywodraeth. Gellid bellach ffermio'n effeithiol,
ar raddfa ddwys, ar ddarnau llai o lawer o dir, sefyllfa a ad-
lewyrchir yn glir yn y ffaith fod deunaw y cant o arwynebedd y
Dyffryn yn medru cynhyrchu ymron hanner gwerth holl gyn-
hyrchiant amaethyddol y fro. A'r ffaith olaf, a thristaf, ydyw i
fwy a mwy o weryd braf fynd yn ysglyfaeth i'r halen. Y mae'r
hinsawdd hefyd yn ffafriol i ffrwythau a llysiau, gan fod gwres
cyson at aeddfedu, ond fel aml ardal arall sy'n mwynhau
misoedd o awyr denau ac wybren las, daw'r llwydrew'n sydyn—y
blast chwedl yr hen Wladfawyr—gan ddeifio'r planhigion a'r
coed ffrwythau ac achosi colledion enbyd.

Dilynasom yn fras ddatblygiad daearyddol ac amaethyddol y
Dyffryn. Pa argraff a rydd heddiw? Ac eithrio'r tiroedd diffaith
halennog, ni all golwg y lle fod yn wahanol iawn i'r hyn ydoedd
ddechrau'r ganrif. Ceir arno o hyd ddwy agwedd wrthgyferbyn-
iol—yn gyntaf, llywodraeth dyn ar rymoedd natur, fel y'i hamlygir
yn y rhwydwe geometrig, y ffyrdd union, a'r rhesi poplys, mor
dal ac urddasol â'r milwyr o flaen plasdy Buckingham; ac yn ail,
yr elfen o fympwy, o gyfrinach a dirgelwch, a gadwyd gan yr afon
a'i ridens o helyg, gan y llwybrau gwiberog, glas, sy'n arwain o

ben y ffordd at y ffermydd, a chan fân furmur y dŵr, nad yw
byth yn bell o glyw dyn, yn rhedeg yn llyfn a chyflym trwy'r
camlesi. I'r neb a fu yno, boed frodor, boed ymwelydd,
ymddengys yn fro hardd iawn, ac ar awr machlud haul y mae
iddi awyrgylch hud a lledrith. Bryd hynny bydd pelydrau'r haul,
wrth dorri ar fryniau gwynion calchog ymylon y Dyffryn, yn eu
troi'n oren a phorffor. Ac wedi i'r golau gilio o'r trumiau, ym-
ddengys y poplys uchel fel dyrnaid o frwshys yn llaw'r arlunydd,
yn paentio'r gorllewin yn stribedi gwyllt o goch, a *mauve,* a
phorffor, a melyn. Daw'r nos wedyn yn gyflym i'r wybren, ond
delir eto weddillion y golau yn nyfnder dirgel afon Chubut nes
iddo o'r diwedd ddiflannu yng ngwyll y coed helyg.

Clywch y gair "fferm" yn bur aml ar enau'r Cymry, ond gair
mwy cyffredin bellach yw *chacra,* term Sbaeneg yr Ariannin i
ddynodi lle bychan o amaethu cymysg, o'i wrthgyferbynnu â'r
estancia, y fferm anferth ar gyfer magu defaid neu wartheg. Yn
nyddiau cyntaf y Wladfa daliai'r Cymry i fyw yn y pentrefi a
mynd allan i weithio ar eu tiroedd—i raddau er mwyn diogelwch
yn erbyn yr Indiaid, i raddau er mwyn cynnal cymdeithas mewn
ardal wasgarog. Ond o dipyn i beth chwalwyd y drefn hon, ac
aeth pobl i fyw ac i weithio ar *chacra*'r teulu. Tai mwd oedd y
rhai cyntaf. Erys ambell un ohonynt o hyd, ond erbyn hyn tai
brics yw'r mwyafrif mawr, ac yn lle'r to gwellt drylliog ceir to
zinc, clyd, er ei fod yn drystfawr ar dywydd gwlyb! Adeiladau
digon syml a diaddurn ydynt o'r tu allan, ond amrywiant yn fawr
o'r tu mewn, yn ôl ffyniant economaidd y teulu. Yn wir, os llwm
yw rhai, cadwodd eraill beth o foeth ysblennydd oes Fictoria ac
Edward, amgueddfeydd chwaeth oes arall. Nid yw *chacras* y
Wladfa yn eithriad i hen arfer gwlad o ychwanegu darnau blith-
draphlith at gnewyllyn y ffermdai. Fel yng Nghymru bydd yr
ychwanegiadau weithiau'n tynnu oddi ar gysondeb gwedd yr
adeilad cyntaf, gan awgrymu fod y damweiniau yn ei hanes yn
bwysicach na'r digwyddiad cyntaf o'i sylfaenu. Amrywia safle'r
ffermydd yn fawr, rhai'n sefyll yn gwbl fympwyol a di-sut ar
ganol darn o dir agored, eraill wedi'u gweu rywfodd i'r
amgylchedd coediog, tawel, a dyn yn cyrraedd atynt ar hyd lôn
droellog, sydd yn ildio o'r diwedd gyfrinach yr ardd flodau a'r tŷ
annedd. Yn y mannau hyn naturiol i ddyn deimlo nid yn unig ei
fod ar gledr cyfandir anferth, unig, ond iddo, yng nghanol y
cwbl, daro ar ardd wyrthiol lle'r ymglyw ag ysbryd tangnefedd.

Ni ddeallodd y Gwladfawyr cyntaf anianawd afon Chubut, am ei bod hi mor wahanol i afonydd byrion Cymru. Nid yw'n ymddangos yn afon fawr oddigerth yn ei genau—mae'r olwg arni yn debyg ddigon i Dywi neu Gonwy—ac yn y dyddiau cyn rheoli llif ei dyfroedd byddai'n ddigon isel yn ystod yr haf. Naturiol felly oedd dannod iddi ym mlynyddoedd cyntaf y Wladfa fod ei dŵr yn methu â chodi bob amser at lefel ceg y ffos neu'r gamlas. Ond cyn hir iawn sylweddolwyd fod Chubut mewn gwirionedd yn un o'r duwiau cryfion, brown y cyfeiriodd T. S. Eliot atynt yn *The Dry Salvages,* un swrth ac anystywallt, "yn cadw'i dymhorau a'i lidiowgrwydd, distrywiwr yn atgoffa dyn o'r hyn mae'n dewis ei anghofio." Sawl tymor, weithiau'n olynol, cododd yr afon, gan ddryllio'i cheulennydd a gorlifo'r Dyffryn. Deil amryw'n fyw sy'n cofio llifogydd mawrion 1899 a 1900, pryd y cododd y dŵr yn ddigon uchel i wneud llyn anferth o'r dyffryn cyfan, a'r Gwladfawyr yn gwylio o ddiogelwch y bryniau tra llyncai'r afon farus eu tai, eu heiddo, eu stoc, a'u cynhaeaf.

Yn yr ymgiprys parhaus rhwng dynion a'r duw cryf, brown, ni wyddys eto pwy a drechodd. Yn ddamcaniaethol, brwydr hawdd ei hennill oedd hi—gwastrodi'r dyfroedd trwy eu harwain ar hyd y camlesi, eu cau o'r tu cefn i argaeau, neu eu sianelu'n syth heb roi cyfle i'r gwely dolennog atal eu rhuthr a'u codi'n orlif dros ben y geulan. Gwnaethpwyd, neu fe arfaethwyd gwneud, yr holl bethau hyn, ac eto ni lwyddwyd yn llawn i ryngu bodd i'r duw. Daw dyfroedd yr afon o'r Andes, a chodant uchaf pan fo glaw trwm yn y mynyddoedd, neu'r eira'n toddi ar ddiwedd gaeaf. Ar y llaw arall, prinder dŵr a geir yn yr haf, yn arbennig am fod gwres y Paith yn sugno cyfran bellach ohono i'r awyr gynnes. Yr ateb naturiol (a therfynol) i'r broblem, fe dybid, ydoedd codi argae mawr ar draws yr afon, ymhellach i fyny na'r Dyffryn, ac felly, ar un ergyd, roi ffrwyn ar wylltineb dyfroedd y gwanwyn, a sicrhau cyflenwad cyson a gadwai gamlesi'r Wladfa'n llawnion hyd yn oed ar ganol hirlwm haf. Wedi blynyddoedd o lafur, cwblhawyd argae Florentino Ameghino ym 1962, saith deg a phump o filltiroedd ymhellach i fyny na Threlew, mewn man lle cyfyd creigiau cochlyd glannau Chubut yn agos i dri chan troedfedd o uchder. Tu cefn ymestyn y llyn ar hyd braich dwy afon, am tua hanner can milltir yr un. Trwyddo gwireddwyd breuddwyd rhai o'r Gwladfawyr cynnar, ac ail enynwyd y gobaith fod problem yr afon wedi'i datrys.

Bu'r argae mawr, bid sicr, yn llesol i amaethyddiaeth y Dyffryn, oherwydd cedwir lefel y dŵr yn yr afon yn gyson drwy'r flwyddyn, a gellir hau a medi heb ofni dial y dyfroedd. Eto mae gan yr afon ddawn i ddial, a hynny mewn modd cyfrwys. Soniwyd eisoes am y *salitrales* ar y Paith. Ceir yn naear a dŵr y Dyffryn yr un heli, a dengys yr enw Tir Halen, yn uwch i fyny na Dolavon, fod y broblem ar gael hyd yn oed yn nyddiau cynnar y Wladfa. Cofiai W. M. Hughes, awdur *Ar Lannau'r Gamwy ym Mhatagonia* (1927), yr olwg ar yr ardal hon cyn i'r heli ledu'i afael: "Golwg hyfryd oedd ar wastadedd y Tir Halen y pryd hwnnw [1881] yn orchuddiedig â phorfa welltog donnai yn yr awel." Beth a ddigwyddodd felly, yma ac mewn rhannau eraill?

Nid problem hawdd i'w deall na'i datrys mo'r halen. Ni chyfyngir hi i ardaloedd Chubut, gan ei bod yn nodwedd o amryw o wledydd neu fröydd lle ceir sychder, gwres, ac ymgais ddifrifol i ddyfrhau'r tir. Yr enghraifft fwyaf enwog yw ardal y Punjab yn yr India. Y wedd dristaf ar y broblem ar un olwg yw ei bod hi'n fynych yn ganlyniad i ymdrech y dyn cymharol gyntefig i ddod dros ben ei anawsterau. Ond ceir yr un dolur hefyd mewn gwledydd mwy datblygedig, fel ar y Río Colorado yn yr Unol Daleithiau.

Ymateb yr anghyfarwydd yw gofyn o ble y daeth yr halen yn y lle cyntaf, ac fe'i drysir gan gymhlethdod yr ateb. Ceir yr halen (neu'i achosion) ar bob tu. Mae'n ganlyniad i sychder y Paith, lle na hindreuliwyd y creigiau fel mewn gwlad o lawogydd a rhew. Ceir cnewyllyn hallt yn ogystal ym mhob defnyn o law a ddaw dros gopaon yr Andes, boed ronyn o dywod neu ddafn o ewyn môr. Ceir halen eisoes yn naear y Paith, peth ohono'n olion o gyfnod pan darawai ton ar graig a thraethle. Yn ddyfnach gorwedda halennau o gyfnodau hŷn. Trwythir y rhain gan y goferydd tanddaearol, a'u harwain dros haenen o graig neu o glai anhydraidd nes iddynt gyrraedd hyd at lechweddau'r afonydd.

Ond ni ychwanegai'r ffynonellau hyn fawr at faint yr heli yn Nyffryn Chubut oddigerth am brosesau eraill ym myd natur. Effeithia gwres yr haul a sychder y gwyntoedd cyson nid yn unig ar yr afon, ond hefyd ar diroedd y Paith a'r Dyffryn fel ei gilydd. Sychir dŵr Chubut ar ei ffordd droellog o'r Andes. Sylwodd Musters ar y ffaith fod Chupat ger mynyddoedd y Cordillera "tua deugain llath ar draws", a'i bod yn gulach o dipyn yn ei genau, gan briodoli hyn i'r amryw gorsydd a *lagunas* ar hyd rhan gyntaf ei chwrs, lle ceir cyfle perffaith i'r haul sychu'r gwlybaniaeth. Try'r trwyth heli yn yr afon felly yn gryfach o dipyn erbyn cyrraedd y Wladfa, ac yno gwna'r haul ei waith yn nyfroedd y camlesi hefyd. Yn yr un modd gweithreda'r haul a'r gwynt ar y tir. Fe'i sychir gymaint nes rhwystro i'r glaw, os syrthia, olchi allan yr halen o haenau ucha'r pridd, tra gorfodir i'r haenau isaf, ar yr un pryd, ollwng peth o'u gwlybwr, gan lenwi'r mân gelloedd a adawyd yn wag yn y pridd uchaf. Bydd yr haenau uwch felly yn dal yr heli yn hytrach na'i ollwng, a'r heli yn yr haenau is nid yn unig yn cael ei gryfhau ond trwy broses o osmosis yn cael ei dynnu i fyny tua'r wyneb.

Mewn gwlad fel Patagonia, lle daw'r afon o fynyddoedd pell, rhydd rhuthr y dyfroedd fomentwm digon cryf i gario defnyddiau yn eu côl. A thrwy broses cyson o leibio a threiglo darpara'r peithdir sych gyflenwad o *silt* sy'n ffeindio'i ffordd i'r afon fawr. Dygir hwn bellter ffordd, ond wedi i'r llif arafu, fel sy'n digwydd yn rhannau isaf Chubut, gadewir y *silt* ar ôl. Dyma sut y ffurfir ar hyd y ddwylan dwmpathau a elwir yn *levees* yn yr Unol Daleithiau, ac sydd gyda threigl y canrifoedd yn gwneud lefel yr afon yn uwch na'r tir. Canlyniad hyn yw fod y lefel yn gyfatebol uchel yn y bwrdd dŵr o'r ddeutu, ac oherwydd hynny tynnir mwy o heli i fyny i'r haenau uwch, ac i'r wyneb. A chan fod argae Ameghino yn cadw'r llif yn uwch na chynt yn yr afon, dwysheir y broblem hon. Mae'r lefel cyson uchel hefyd yn atal proses a ddigwyddai gynt, pan dreiddiai peth o'r dŵr yn y pridd yn ei ôl i'r afon yn yr haf. Yn yr un modd, gostyngai'r lefel yn y bwrdd dŵr ar yr union adeg pan fyddai'i effaith onibai yn fwyaf andwyol, sef yn nhymor y gwres. Ar y llaw arall, pan orlifai'r afon yn yr hen amser, golchid llawer o'r halen o'r pridd; proses a atelir bellach.

Nid yw'r stori ar ben ychwaith. Oherwydd proses gemegol arbennig a grëir gan yr heli, difethir y tyfiant, a lleddir y pridd. Pan gyfyd gradd yr heli yn y gweryd uwchlaw rhyw bwynt, metha'r planhigion â thynnu ar y maeth o'u cylch: hyd yn oed ar ganol llawnder maent ar eu cythlwng. Hefyd newidia presenoldeb yr halen gyfansoddiad y ddaear, gan ddwyn oddi arni'r dolennau cemegol naturiol a'i clyma'n bridd iachus, byw. Fe'i try'n dalp anhydrin, yn fwdlyd ysgafala ar dywydd gwlyb, ac yn fisgedyn sych yn yr haf. Yn sgîl y cyfnewidiadau cemegol hyn, troir yr *humus* yn y pridd yn hylif, ac amddifedir ef o'r elfennau a'i gwnâi'n ffrwythlon.

Dramatig ddigon yw effeithiau'r clwyf yn y Dyffryn. Ochr yn ochr â phorfeydd breision gwelir erwau maith heb arnynt flewyn o wair. Aeth y caeau a dyfodd wenith enwog Benjamin Brunt yn ysglyfaeth i'r halen, a phrofiad poenus un ffermwr o Gymro yn y saith-degau ydoedd colli perllan gyfan mewn llai na mis. Bellach, oherwydd lefel uwch y dŵr yn yr afon, ymdreiddia'r heli i rannau newydd o'r Dyffryn, gan gyrraedd darnau a oedd yn gorwedd yn rhy bell o'r afon (neu un o'r prif gamlesi) i ddioddef yn dost gan y gelyn. Adlewyrchir pa mor ddwys yw'r argyfwng yn yr ystadegau'n nodi'r tiroedd amaeth a effeithiwyd gan yr halen —yn y flwyddyn 1938, yr oedd yn 21%; erbyn 1951, cyrhaeddodd 34%; ac ym 1961, yr oedd yn 84.2%. "El valle está condenado": mae'r Dyffryn dan farn condemniad, ebe Ysgrifennydd Cyngor Tref Trelew ym 1971, oni wneir rhywbeth effeithiol yn y blynyddoedd nesaf hyn.

Cysur meddwl nad yw'r sefyllfa tu hwnt i obaith. Cafwyd profiad eisoes o'r un trafferthion mewn gwledydd eraill, ac mewn damcaniaeth o leiaf gwyddys sut i'w goresgyn. Yn gyntaf, dylid dyfrhau'r tir lawer yn rhagor, fel y bo'r dŵr yn gwneud y gwaith y dylasid ei wneud gan y glaw, sef golchi'r halen o'r ddaear. Dylid yn ogystal sicrhau gwell draenio ar y tir, er mwyn i'r gwlybaniaeth fynd yn ei ôl i'r afon yn hytrach na chael ei ddal ynddo. Yn ail, trwy ychwanegu glyfaen (*gypsum*) at y pridd claf newidir ei ansawdd cemegol, fel y bo modd iddo ymffurfio eilwaith yn iachus a hydrin, a gollwng yr halen o'i gyfansoddiad. Yn y cyfamser gellid delio'n fwy radicalaidd â'r cyflawnder dŵr yn yr afon. Ni ellir cronni hwnnw'n dragywydd y tu ôl i'r argae mawr—sydd ynddo'i hun yn rhoi cyfle ardderchog i'r haul a'r gwynt gryfhau'r heli yn y llyn—ac awgrymwyd felly godi ail argae, a fedrai reoli rhediad y dŵr o un tymor i'r llall. Ond yn y pen draw, gofynion yr argae mawr a fuasai'n goruwchlywodraethu, a rhaid fyddai gollwng peth dŵr ohono'n rheolaidd i'w gadw'n ddiogel. Yn wyneb hyn daeth tîm o beirianwyr o wlad Israel ag ateb mwy chwyldroadol, a thrwyddo adfer un o freuddwydion yr hen Wladfawyr—"syniad gwallgof" meddai Ernest Scott amdano yn ei adroddiad ym 1902. Yn ôl y cynllun hwn fe agorid fflodiart yng nglan afon Chubut uwchlaw llyn argae Ameghino, a gollwng y gorlif drwyddo, ac wedyn trwy nifer o bibau a chamlesi, nes rhyddhau'r dyfroedd ar wyneb y **Paith**. Crëent felly wely naturiol iddynt eu hunain, ac ymollwng yn y diwedd i'r môr ger Porth Madryn. Ateb syml, ond costus. Eto ceid ohono un canlyniad ychwanegol gwerthfawr: wrth achub **Dyffryn Chubut**, fe greai ardal ffrwythlon arall yng nghalon yr anialwch, a thrwy hynny wireddu gweledigaeth a fynegodd Llwyd ap Iwan yn y dyddiadur a gadwodd o'r ail Ymgyrch i wlad yr Andes ym 1888.

Glyn Ceiriog yn Cywiro Ffens

Hen dŷ yn Gaiman

II   Newid Byd

Amrywiadau ar y gwreiddiol yw'r Lloegr Newydd neu'r Alban
Newydd neu'r Gymru Newydd yn hytrach nag ymberffeithiad
ohoni. Grŵp mympwyol yw mintai o wladychwyr, oni bai i
ryw ystadegydd doeth eu dewis ymlaen llaw yn ôl trefn
ddemograffaidd gytbwys. Hefyd y mae gan wladychwyr yn aml
ddelfrydiaeth sy'n eu gwahanu oddi wrth frodorion yr "Hen
Wlad". Tuedda'u breuddwyd i gyfeirio'u camre, a rhoi iddynt
hunan-ymwybyddiaeth boliticaidd nas ceid yn yr hen
gymdeithas. Enghraifft nodedig o hyn yw'r modd y trodd tref-
edigaethau Seisnig Gogledd America, wedi'r Chwyldro, yn
Daleithiau Unedig, gwlad ag iddi ddelfryd a chydwybod. Yn
olaf, o drawsblannu, rhaid wrth ail-wreiddio, ac wrth wneud,
mae'r egin-gymdeithas yn tynnu nid yn unig ei maeth, ond fel y
winwydden, beth o'i chymeriad hefyd o bridd ei hamgylchfyd
newydd.

Bu rhai o gyfoeswyr y Gwladfawyr cynnar yn angharedig tu
hwnt wrth aelodau'r fintai gyntaf: *"a hundred and fifty of the
dregs of Wales . . . sent to establish a kingdom at the ends of the*

earth," meddai gŵr llym ei dafod mewn llythyr at Gyngor Coleg y Bala, rhan o'i gyhuddiad yn erbyn Michael D. Jones am ymhel â'r fath gynllun! Gair eithafol a chreulon, ac eto fe ddichon ei fod yn datgan yr hyn a fynegwyd gan y Parch. Abram Mathews mewn geiriau tynerach. Cyd-deithiodd ef gyda hwy ar y *Mimosa*, cyd-ymdrechodd gyda hwy wedyn ym mlynyddoedd arwrol cyntaf y Wladfa. Ie, pobl rwff, ddiaddysg oeddynt, yn gynefin â thlodi, ac eto yn abl i gwrdd ag argyfwng, ie, yn y pen draw, halen y ddaear. Yn graff y sylwodd Abram Mathews hefyd fod tlodi'r minteiwyr a'r "caethiwed diobaith yr oeddynt ynddo yng Nghymru" wedi eu gwneud yn well a gwytnach gwladychwyr na phobl hwy eu llogell, a llai parod i dderbyn cernod gan Ragluniaeth.

Cafwyd yn yr ail fintai adnoddau pwysig a oedd yn brin yn y gyntaf, sef crefftwyr, gweithwyr ac iddynt ryw gymaint o annibyniaeth, dynion a chanddynt gefndir busnes. A bu'r elfen Americanaidd—term a glywir o hyd am rai o deuluoedd y Wladfa—yn bwysig iawn. Daeth yr Americaniaid hyn yn fwyaf neilltuol ar ddwy long a hwyliodd ym 1873 a 1874, y *Rush* a'r *Electric Spark*. Ond suddodd y ddwy a chollodd y teithwyr eu cyfoeth a'u hoffer ar eu ffordd i Batagonia o'r Unol Daleithiau. Serch hynny cadwasant eu cynneddf, a chynnig i'r cnewyllyn gwreiddiol brofiad gwladychol ac ysbryd anturus.

Ceid eisoes yn y fintai gyntaf elfen gref o weithwyr diwydiannol Sir Forgannwg, yn arbennig o Gwm Cynon. Gyda dyfod minteioedd 1875/6 cryfhawyd yr elfen Sowthaidd yn fawr, oherwydd daethai'r rhan fwyaf o'r pum cant a gyrhaeddodd yn y cyfnod hwnnw o'r ardaloedd diwydiannol, yn arbennig o Gwm Rhondda, a phlwyf Ystradyfodwg yn y Cwm hwnnw. Fel y sylwyd eisoes, aeth amryw i fyw ym mhentref newydd y Gaiman, a dengys yr enw Treorcki gerllaw y fath sbardun yw hiraeth. Mynegwyd eu hegni mewn cyfeiriad gwahanol pan aeth nifer o'r Bedyddwyr yn eu plith ati i ddangos eu hochr, gan gefnu ar eciwmeniaeth y Sefydliad a ffurfio eglwys neilltuol wedi'i hymdynghedu i gredo *Cymanfa Bedyddwyr Neillduol Morganwg*. Agorwyd yr achos, sef Eglwys Vron Deg, yn Ionawr 1877; etholwyd Evan Parry o Noddfa, Treorci, Cwm Rhondda, yn ysgrifennydd, a chodwyd adeilad ar dir William Rees, Drofa Dulog. Ysgubwyd y capel hwnnw ymaith yn llifogydd 1899, ond nid ysgubwyd dylanwad gwŷr Morgannwg o'r tir. Daeth eu

hiaith dywyll, anhydraidd bron i rai o'r Cymry o'r Gogledd, yn
destun rhyfeddod, ac weithiau o sbort, a chadwyd ar gof gwlad
aml stori am eu ffraethineb a'u gwreiddioldeb. Ond gwnaethant
hefyd eu cyfraniad arbennig i ddatblygiad y Wladfa. Pobl dlawd
oeddynt fel eu cymheiriaid ym 1865, a'u holynwyr mewn
minteioedd diweddarach, fel mintai'r *Vesta* ym 1886, a ddug
bum cant o bobl allan i arloesi'r rheilffordd o Borth Madryn i'r
man lle datblygai Trelew. Mewn sefyllfa o argyfwng yn y Wladfa
bu'r tlodi hwnnw yn broblem ac yn her, ond dygasant hefyd yn
eu profiad a'u gewynnau werthoedd neilltuol. Glowyr oeddynt a
gweithwyr yn y diwydiant haearn, cyfarwydd felly â chaledwaith,
ag argyfwng, ac â pherygl. Roedd ymaddasu i alwadau ac am-
gylchiadau amrywiol yn rhan o'u natur a'u profiad beunyddiol.
Yn yr ystyr honno roeddynt yn fwy parod ar gyfer y dasg o
amaethu mewn gwlad a hin wahanol na ffermwr a ddaethai,
dyweder, o ucheldir glawog Meirionnydd. Dywedwyd amdanynt
eu bod yn amddifad o brofiad o amaethu, ond camddeall eu
cefndir yw hynny. Dim ond cam, ac weithiau lai, a'u gwahanai
oddi wrth fywyd cefn gwlad yng Nghymru. Y tebyg yw i rai
ohonynt fyw yn ôl y patrwm o dreulio darn o'r flwyddyn yn
gweithio ar hen dyddyn y teulu, gan dreulio'r gweddill mewn tref
ddiwydiannol; ac i eraill adael eu hen ardal wledig yn bobl ifanc
cyn mentro arni ym merw Cwm Cynon, neu Gwm Rhondda.

Edrychwn am foment ar wladychfa arall, sef Zeland Newydd,
a sefydlwyd gan ymfudwyr eraill, gan mwyaf o Brydain, yn yr
union gyfnod. Yn wahanol i Wladfa'r Chubut, lle'r oedd y gwa-
haniaethau daearyddol a hinsoddol yn weddol amlwg o'r
dechrau, sefydlwyd gwladychfa'r Antipodes ar y dyb y gellid
atgynhyrchu yno gymdeithas debyg i Loegr. Nid yn unig fe
awgrymid posibilrwydd hynny gan y tebygrwydd hynod yn yr
amgylchedd, ond aed ati'n fwriadol oddi ar y cychwyn i ddewis
grwpiau o bobl a fedrai greu cymdeithas newydd a adlewyrchai'r
hen, hyd yn oed yn ei gweddau dosbarthiadol a chyfalafol. Ond
nid dyna a ddigwyddodd. Oherwydd agosrwydd Awstralia
mewnforiwyd miloedd o ddefaid *merino* a bennodd mewn byr
amser brif natur yr amaethu ar South Island; a chododd awydd
ymhlith mwyngloddwyr aur Awstralia am chwilio'u cyfle ar yr
ynys gyfagos honno. Canlyniad hyn fu i'r gwladychwyr o Loegr
(pobl dlawd, gan mwyaf, o gefndir trefol) ddatblygu patrwm o
fywyd amaethyddol gwahanol i'r hyn a arfaethwyd ar eu cyfer,

patrwm Awstraliaidd yn hytrach na phatrwm Seisnig; ac i'r mwynwyr a ddaethai i Awstralia o bob rhan o'r byd (dynion heb ddisgyblaeth nac addysg, ond hynod annibynnol ac hunan-ddibynnol) fod yn gymorth mawr nid yn unig i ddatblygiad y diwydiant defaid, ond hefyd i ffermio cymysg, gan iddynt elwa'n fawr ar eu profiad gyda chamlesi dŵr at bwrpasau mwyn-gloddio, trwy ei gymhwyso at ddyfrhau'r tir at ei amaethu. Er gwaethaf llawer annhebygrwydd i'r sefyllfa yn y Wladfa, ymddengys yn y ddau achos i'r gallu i ymaddasu brofi'n bwysicach na phrofiad uniongyrchol; ac y gall cefndir o fwyn-gloddio brofi'n well sail i fywyd amaethwr mewn amgylchfyd gwahanol na phatrwm o amaethu mwy "traddodiadol". Os cofiwn y tair blynedd diffrwyth a diobaith hynny ym Mhatagonia cyn i wraig Aaron Jenkins gael y weledigaeth fod angen dyfrhau'r tir, naturiol yw gofyn paham na sylweddolwyd hynny ynghynt. Yr ateb syml yw nad twpdra, ond y ffaith i bobl gael eu llyffetheirio gan eu gorffennol, a'u dallu gan eu profiad— plannent ac nid eginai'r had, hyd yn oed wedi'r glaw; yr oedd y duwiau felly yn eu herbyn! Nid amhriodol yn y cyswllt hwn yw nodi cefndir arloeswyr y dyfrhau: un o Aberpennar yng Nghwm Cynon ydoedd Rachel Jenkins, a'i gŵr yn dod o'r un man—fe fuasai ffermwr mwy "hyddysg" yn fwy tebyg o edrych heibio i ddarganfyddiad mor anfenywaidd a diarwyddocâd â'r eiddo Rachel! Pobl agored eu meddwl oeddynt. Ac wedi sylweddoli arwyddocâd y darganfyddiad bu raid ymbalfalu i gyfeiriad arbrofol, lle byddai'r rhaw a'r bocs cwrlo, y torri pwcyns (o'r Saeseg *pokings ?),* a'r gelfyddyd o "gwnnu" dwy fraich a choler yn rhan mor annatod o ffermio â'r aradr ar y ffridd.

Cyfeiriwyd eisoes at ysbryd delfrydiaeth ymhlith arweinwyr y Mudiad Ymfudo yng Nghymru ac yn ddiweddarach ymhlith y rhai a sefydlodd y Wladfa. Ond nid y ddelfryd oedd y peth mwyaf real ym mhrofiad y Gwladfawyr eu hunain, eithr y siom; siom a barhaodd hyd at ddegawd olaf y ganrif, ac a adnewyddwyd gan brofiad y llifogydd mawr—cael addewid am baradwys, a phrofi ffrwythau chwerw'r diffeithwch! Cymdeithas oedd hon felly a welodd ddifrodi'r breuddwyd cyntaf, ond a achubodd rywbeth o'r llong-ddrylliad. Pwysicach diben felly ydoedd sicrhau llwyddiant na llunio'r Gymru Newydd. Nodwedd bendant yn nhreftadaeth y Gwladfawr hyd heddiw yw'r ymlyn-iad wrth ei fro; wedi'r cyfan, ef a'i gwnaeth, bron yn llythrennol

felly. Diddorol yw adroddiad cytbwys Ernest Scott ar destun
gwir ddiddordeb y gwladychwyr yn y posibilrwydd o symud i
Ganada ar ôl colledion blynyddoedd y dilyw. Gwir iddo daro ar
"deimlad cryf iawn" o blaid symud i wladychfa Brydeinig, ond
darganfu deimlad yn union mor gadarn o blaid aros, a hynny
nid yn unig ymhlith swyddogion llywodraeth, masnach a
rheilffordd, ond hefyd ymhlith rhai ffermwyr. Yn y diwedd
datganodd tri chant a thrigain eu bod yn fodlon ymadael, nifer
bychan o blith sefydliad ac ynddo bellach dros ddwy fil o Gymry
o ran iaith. A'r un argraff a roesid hefyd i Commodore Groome,
pennaeth H.M.S. *Flora*, a ddaethai'n union wedi'r llifogydd ym
1900: "Gofynnais i eraill a oeddynt o'r farn y byddai'r
boblogaeth Gymreig yn gyffredinol yn ymfudo pe caent y cyfle,
ac ym mhob achos yr ateb fu 'Na'."

Bu'r Gwladfawyr yn ffodus iawn yn eu harweinwyr. Nid am eu
doethineb o angenrheidrwydd, nac am eu bod yn wŷr tu hwnt o gall
neu gyfrwys. Yn wir arllwyswyd beirniadaeth deg, ac annheg,
am ben y prif arweinydd Lewis Jones, a hynny gan ei gyfoedion a
chan haneswyr diweddarach. Yn yr un modd collfarnwyd Llwyd
ap Iwan a T. B. Phillips (Brazil) am fod yn frysiog a di-dact yn
eu ffordd o ddelio â llywodraeth yr Ariannin yn yr adeg pan
gododd y brotest ym 1898 yn erbyn yr ymgais swyddogol i
orchymyn i'r Cymry ddrilio ar y Sabath. A thebyg y gellid yn deg
gael bai ar ddiffyg menter neu drefn y Cymry blaengar weithiau
mewn materion busnes neu fasnach. Eithr er gwaethaf unrhyw a
phob diffyg, y peth pwysig amdanynt oll oedd iddynt *fod* yn
arweinwyr, rhes o gymeriadau cadarn, meddylgar, effro, y
gellid dibynnu arnynt i weithredu ar ran eraill. Darluniodd W.
M. Hughes rai ohonynt yn ei ddisgrifiad effro o'r cyfarfod cyntaf
ym 1885 i drafod sefydlu Cwmni Masnachol y Camwy, y
dibynnai ffyniant y Wladfa gymaint arno dros gyfnod o ddeugain
mlynedd: "Dynion dysyml oeddynt. Ni feddent brofiad
masnachol, ond meddent yr hyn oedd anhraethol bwysicach i
lwyddiant yr achos, sef ffydd anniffodd yn ei gyfiawnder."

Dynion felly hefyd a fedrodd lunio trefn ddemocrataidd
ynghyd â'r organau politicaidd a chyfreithiol perthynnol, yn
Gyngor ac yn Llys Rhaith a Llys Athrywyn, trefn a barodd hyd
nes i'w grym (yn hytrach na'i gwendid) ddod i wrthdrawiad
anesgor â grym llywodraeth ganolog yn niwedd y ganrif a
dechrau'n canrif ni. Creasant bapurau newyddion fel y *Brut*, a'r
Dravod, a gychwynnwyd yn gyntaf ym 1891:

Wrth gychwyn y newyddur cyntav hwn yn y Wladva, yr ydys
yn teimlo dipyn yn bryderus ar iddo wasanaethu yn deilwng y
neges o wareiddio a choethi sydd yn arbenig waith y wasg. Nid
ydys yn gallu gobeithio y bydd iddo voddio pawb, na gwneud
pob peth ar unwaith. Cyvyng gymharol vydd ei gylchrediad,
vel ei ovod o reidrwydd; eithr oblegid hyny, ac arbenigrwydd y
Wladva, llawn neillduolion gwladol, anhawdd vydd cadw y
dravodaeth yn ddigon amrywiol, yn ddigon eglur, ac yn
ddigon pwyllus. Eithr penav amcan y Dravod vydd gwasgar
dylanwad darllen a meddylio drwy ein cymdeithasiad
wladvaol hon. O ddiffyg cyvleusdra cymundeb a'r byd, teimlo
yr ydys er's blyneddau (sic) vod perygl i ni geulo ar ein sorod,
heb hogi ein gilydd, a gloywi wynebau ein cyveillion; ac yn
enwedig vod ein pobl ieuaingc heb gyvleusdra gwybod na
thravod, tra yn agored i lawer o ddylanwadau mall ac
anghaeth.

Nid pobl ychwaith a geulodd ar eu sorod oedd yr arweinwyr a
luniodd sustem addysg Gymraeg ar gyfer plant y Sefydliad. Bu
raid dibynnu ar arbrofion digon carbwl yn y blynyddoedd cyntaf,
pryd yr ymleddid mor wydn i oroesi yn yr anialwch, ond erbyn
1877 sefydlwyd y Bwrdd Ysgol cyntaf a chyflogi R. J. Berwyn yn
athro am gyflog o £30 y flwyddyn. Er y cychwyn bu raid ymladd
yn erbyn bwriad teg y Llywodraeth i sicrhau Sbaeneiddio
trigolion y wlad, a rhaid sylwi ar ddatblygiad addysg Gymraeg
yng ngoleuni hynny. Ni fedrid cyfleu addysg yn yr iaith honno
felly ond i'r graddau fod y drefn swyddogol yn caniatáu. Cawn
yn un o'r athrawon cynnar, R. J. Powel, enghraifft o ysbryd
protest yn erbyn trefn a oedd mor andwyol i ffyniant y
gymdeithas Gymraeg, a medrodd hwnnw ddadlau dros addysg
yn yr iaith gysefin ar sail "cyfansoddiad rhagorol y Weriniaeth."
Yn ei waith beunyddiol ni allai lai na derbyn y ffaith fod dylan-
wad y Sbaeneg yn cynyddu, a bod parhad cefnogaeth ariannol y
Llywodraeth yn dwyn yn ei sgîl y rheidrwydd o ddysgu trwy
gyfrwng y Sbaeneg yn hytrach na'r Gymraeg, o leiaf yn
swyddogol. Yr oedd gan Powel ddigon o asgwrn cefn, ac efallai o
gyfrwystra, i sicrhau lle'r Gymraeg yn yr ysgol, ac os cywir
tystiolaeth *Gwrtheyrn* yn y *Dravod* ym 1898, "mae athrawon yr
ysgolion *nacionales* yn gwneud mwy na'r rhieni i gadw'r
Gymraeg yn fyw." Ac mewn modd negyddol protestiai'r rhieni

hefyd, drwy beidio â gyrru eu plant i'r ysgol. Yn ôl rhyw bennill
a gyhoeddwyd ddwy flynedd ynghynt, dim ond y cathod a'r cŵn
a âi i'r ysgol yn y Gaiman, a hynny am mai yn *castillano* y
rhoddid yr addysg! Clywir un llais yn glir a chroyw yn y
dadleuon ynghylch addysg Gymraeg, eiddo J. S. Williams. Pan
ail-gychwynnwyd y *Dravod* ym 1896, wedi sbel o ddistawrwydd,
aeth y gwron ati i longyfarch y papur ar y fenter, ac ymhlith y
dadleuon eraill dros ledaenu gwybodaeth mae'n nodi'r
pwysigrwydd o ddysgu'r Cymry ifainc i sgrifennu Cymraeg, a
sylwa hefyd pa mor anllythrennog mewn unrhyw iaith ydoedd
amryw o'r rhain. Noda wedyn sut y bu i waith di-hamdden y
Dyffryn yn ei gyfnod mwyaf egnïol (a phobl wrthi yn "gwneud
ffosydd a dyfrhau y maesydd a gwarchod yr anifeiliaid") olygu
na thrafferthid fawr i sicrhau addysg na diwylliant. Yn yr un
llith galwodd yn ogystal am sefydlu ysgol uwchradd yn y
Gaiman, ac ymhen dwy flynedd gwnaeth yr un argymhelliad eto
ar ddudalennau'r *Dravod*, fel rhan o bolisi o ledaenu addysg
gynradd ac uwchradd, y dysgid drwyddi nid yn unig y Gymraeg
ond hefyd y Saesneg a'r Sbaeneg. Trwy drugaredd gwrandawyd
ar apêl yr arweinydd hwn, ac ym 1906 sefydlwyd Ysgol
Uwchraddol y Gaiman, a wnaeth gymaint dros fywyd Cymraeg y
Dyffryn.

Wrth gofio am yr arweinwyr yn y deugain mlynedd cyntaf,
rhaid cynnwys nid yn unig sefydlwyr a swyddogion Cwmni
Masnachol y Camwy, ond y rheini a gynlluniodd y cwmnïoedd
dyfrhau, a'r arloeswyr hynny a ymsefydlodd yn yr Andes, lawr
tua Sarmiento, ac mewn mannau eraill, fel y cawn weld. Yng
ngolau'r hyn a greasant (ac y methasant â'i greu), nid amhriodol
dwyn i gof ateb Ysgrifennydd tref Trelew i Lysgennad Prydain
Fawr ym 1964, pan ddywedodd hwnnw mai amhosibl oedd yr
awgrym y medrai un o longau llynges Prydain ddwyn gyda hi
fintai gref o Gymry i'r Wladfa yn y flwyddyn ddilynol ar gyfer
dathlu canmlwyddiant y gwladychu. Dyma eiriau Mathew Henry
Jones wrtho: "I bobl a greodd ddinas yn yr anialwch, y mae pob
peth yn bosibl."

Rhoddodd eglwysi'r Dyffryn arweiniad cryf nid yn unig
yn y dechrau, ond drwy gydol hanes y sefydliad. Gwŷr anghyff-
redin eu doniau oedd amryw o'r gweinidogion cynnar. Sonnir o
hyd am ambell un ohonynt drigain a mwy o flynyddoedd ar ôl ei

farw, a chyfeirir at hwn neu arall yn y Dyffryn heddiw fel disgyn-
nydd neu berthynas iddo. Anodd ydoedd gwahaniaethu rhwng y
gweinidog fel dyn, ac fel rhywun mewn swydd arbennig a'i
gwnâi'n arweinydd waeth beth a ddymunai. Mewn cymdeithas o
Anghydffurfwyr a ddisgwyliai arweiniad gan eu heglwysi a'u
bugeiliaid, mor anodd oedd hi i'r gweinidog wahaniaethu
rhwng arweiniad moesol (neu ysbrydol) ac arweiniad ymarferol
mewn mater o bwys i'r gymdeithas. Ond ceid hefyd wedd
negyddol ar swyddogaeth gweinidog: oherwydd blaengarwch y
gweinidog yn y gymdeithas, gallai ei braidd fynd i ddibynnu
arno am yr arweiniad a ddylasai ddod oddi wrthynt hwy eu
hunain. Ceir gweld ym mlynyddoedd dirywiad y Wladfa i'r arfer
o ddibynnu yn ormodol ar arweiniad gweinidogion y Gair
barlysu'r gallu i greu arweinwyr o blith lleygwyr y gymdeithas.

Mewn un darlun, distadl ddigon yn yr hanes, adlewyrchir
natur y broblem, ynghyd ag ansawdd yr arweiniad. Aeth rhai o'r
Gwladfawyr cyntaf ar ymgyrch i Orynys Valdés ar dueddau
gogleddol y *Golfo Nuevo,* taith i chwilio'r tir, ac arloesi ar gyfer y
dyfodol. Darganfuont yno olion hen gaer Sbaenaidd, gan
gynnwys dau gannon ar gyfer amddiffyn y lle. Ar y drydedd
noson, wedi swpera ar gig estrus, eisteddodd y fintai o gylch y
tân i glywed darlith gan Talhaiarn, un o'u nifer, ar gefndir
hanesyddol y darganfyddiadau. Wedi'r ddarlith—a ystyriwyd yn
llwyddiant, mae'n rhaid—cytunwyd i roi awdurdod i Talhaiarn,
fel llywydd, i alw ar rywun i roi sgwrs gyffelyb wedi swper bob
nos tra parhâi'r ymgyrch. Y fath ffydd mewn addysg, ac yn y
ddyletswydd o oleuo pobl na chafodd yr un manteision! Eto i
gyd, anodd peidio â dwyn i gof ddarlun cyffelyb iawn o dudalen-
nau llenyddiaeth: Don Cwicsot yn traddodi darlith goeth fin
hwyr i dwr o fugeiliaid cyffredin ar natur yr Oes Aur! Gwelwn yn
Talhaiarn a'i gyd-arweinyddion yr un gwanc am estyn gwybod-
aeth, ac am roi arweiniad, ond ychydig a wyddom am ymateb y
Gwladfawyr tlawd, di-ddiwylliant, nac am eu gallu i elwa ar yr
ymborth, neu'r esiampl. Eglurach yn wir yn hanes y Wladfa yw'r
olyniaeth deuluol mewn arweiniad, gan fod y llinyn arian hwnnw
yn disgyn weithiau hyd at y drydedd a'r bedwaredd genhedlaeth.
Ni ddylai hyn beri syndod—nid yn unig fe etifeddir nodweddion
amlwg, ond ceir yn fynych mewn teulu yr ymwybyddiaeth o
draddodiad gwasanaeth. Efallai, hefyd, ein bod yn rhy barod i
gael bai ar fethiant pobl i gyrraedd rhyw safon neilltuol, mewn

delfrydiaeth, neu ymarweddiad, heb sylweddoli fod arwriaeth yr ychydig, neu eu talent, neu eu ffydd, yn brigo i'r amlwg oherwydd cyffredinedd y cyffredin mud.

* * *

Beth oedd dylanwadau'r amgylchfyd newydd ar y Gwladfawyr? Gwasgai hwnnw arnynt o ddau gyfeiriad, amgylchiadau'r tir y daethant i'w wladychu, ac esiampl bywyd y wlad yr oeddynt bellach yn rhan ohoni. Yn y pen draw byddai'r ail ddylanwad yn bwysicach na'r cyntaf, ffaith na ddaeth yn amlwg yn llawn nes i'r Wladfa a'i phobl wreiddio'n sicrach yn nhir Ariannin, ac i afael y diwylliant Lladin gryfhau. Peth mwy dirgel, yn wir hudol, oedd dylanwad y tir, gan mai math o briodas ydoedd, priodfab a phriodferch yn chwilio i gilfachau natur gorfforol ac ysbrydol ei gilydd.

Afraid dweud mai arswyd bron oedd yr ymateb cyntaf i dir Patagonia. Rhyfeddu at wlad mor ddiffaith, at bridd mor grintach, at hinsawdd mor enbyd o sych. Ond yn raddol trodd yr arswyd yn chwilfrydedd, ac yn y diwedd yn gymundeb. Cadwodd traddodiad llafar y Dyffryn hyd heddiw y stori am wraig Aaron Jenkins yn torri'r twll yng ngheulan afon Chubut er mwyn cael peth dŵr at yr had gwenith, cychwyn naïf yr arfer o ddyfrhau. Hwn hefyd yw'r digwyddiad mythig pwysicaf yn y stori, am ei fod yn arwyddo'r foment y trodd y Cymro alltud yn frodor y wlad newydd. Fel rhan arall o'r un broses o ymwreiddio dysgodd pobl farchogaeth yn dda, ac aeth yn arfer i gadw llawer o geffylau. Erbyn 1892 gallai Jonathan Ceredig Davies, yn ei *Patagonia: A Description of the Country,* honni i'r Cymry yno ymdebygu i'r Archentwyr trwy wrthod mynd ugain llath oddi gerth ar gefn ceffyl, a nododd hefyd i'r hen arfer Cymreig o "garu yn y gwely" droi'n garu ar gefn ceffyl, a'r dyn yn dwyn ei gariad tu cefn iddo! Yn ddiweddarach honnodd W. M. Hughes yn *Ar Lannau'r Gamwy* (1927), fod teulu'n cadw cymaint â deg i bymtheg o geffylau, sef tair neu bedair gwedd, ceffylau marchogaeth, ac wrth gwrs rai at iws y meibion a'r merched. Yn ôl yr un awdur dysgai plant yn gynnar iawn sut i farchogaeth: "Os llwyddai bachgen chwe neu seithmlwydd oed drwy ymdrech gyrraedd mwng y ceffyl, buan y dringai ar ei gefn, ac unwaith yno, ymddangosai mor gartrefol a phe yno y tyfasai." Plentyn

felly ydoedd John Evans, *Baqueano,* arloeswr gwlad yr Andes—
cyrhaeddodd ar y *Mimosa* yn ddwy flwydd a hanner oed, a
thyfodd yn yr amgylchfyd newydd, gan ddysgu'n fuan ffyrdd ac
arferion yr Indiaid, nes ennill iddo'i hun enw a ddynodai ruddin
bywyd y *Tehuelche* neu'r *Araucano,* y ddawn i adnabod pob
crych a chysgod ar wyneb y Paith.

Yn y bartneriaeth newydd rhwng y Cymro a'r ceffyl mewn byd
pur wahanol, peidiodd â dibynnu ar gyfrwy a gwartholion yr
Hen Wlad. Efallai mai prinder meistri yn y grefft o'u gwneud a
achosodd y newid yn y lle cyntaf, ond pwysicach oedd y ffaith fod
yr Indiaid yn hen arfer â gwneud gêr, a hynny o wneuthuriad
tipyn agosach at yr eiddo'r Archentwr. Yn sicr gwelir y Gwladfawr
cyn hir yn gefnsyth ar y *recado* uchel, a chroen dafad yn
esmwytho tipyn ar ei eistedd; a blaenau ei draed yn sownd
mewn gwartholion llydan, a chrwn fel olwynion. Etifeddodd yn
ogystal ddirmyg y *gaucho* at y gwartholion "Seisnig" fel pethau
peryglus, sy'n medru dal troed y truan os digwydd syrthio oddi
ar gefn ei geffyl, a'i lusgo nes ei niweidio'n dost. Yn sicr hwylus-
ach y *recado* na'r cyfrwy at fywyd y Paith, am y dygir yn y croen
dafad nid yn unig foddion bod yn gyfforddus gyda'r dydd, ond
moddion cysgu gyda'r nos. Er i'r car modur a'r *chata* (y Ffordyn
pickup) ddisodli'r ceffyl mewn llawer modd, daliodd swyn
marchogaeth ym mywyd llawer o wŷr y Wladfa, a bydd hyd yn
oed "alltudion" yr ail neu'r drydedd genhedlaeth yn edrych
ymlaen at wyliau ar lannau Camwy, neu yn yr Andes, am fod
cyfle eto i farchogaeth. Yn hyn etifeddodd, neu mabwysiadodd,
y Cymro nodwedd arall o fywyd yr Ariannin.

Ond y Paith a fwriodd ei hud fwyaf ar y Gwladfawyr. Daw
cyfle'n ddiweddarach i sylwi'n fanwl ar fywyd pobl a dderbyniai
ei unigedd. Ond i'r Cymro cyffredin hefyd, roedd yno bob
amser, bron yn ardd gefn iddo, mor gwbl wahanol i'r Dyffryn,
ac eto'n estyn posibiliadau cynhaliaeth a hamdden. Nodwyd
eisoes fod rhai'n arfer â chadw'u gwartheg ar y Paith yn y gaeaf, tra
âi eraill â'u ceffylau yno i bori: ac estynnodd i leiafrif bychan
gyfle ar ffordd o fyw. Eithr i'r rhan fwyaf man ydoedd ar gyfer
hela yn achlysurol yr estrys, y pctris, y llwynog, y *guanaco* a'r
piwma. Cyn cael llwyddiant cyson gydag amaethu chwaraeodd
hela ran bwysig yng nghynhaliaeth y fro. O dro i dro bu'r dryll
yn foddion achub pobl rhag marwolaeth. Ar un o'r teithiau
cyntaf rhwng traethau Madryn a'r Dyffryn, saethodd un gŵr (a

ddioddefai'n enbyd gan syched) farcud a oedd yn hofran
uwchben, ac wedi torri pen yr aderyn, sugnodd bob diferyn o'i
waed; cyfeiriodd Llwyd ap Iwan at foment ddramatig ar un o'i
deithiau arloesi yn yr Andes, pryd y saethodd biwma'n farw a
hwnnw ar fedr llarpio un o'i gyfeillion. Mewn amgylchiadau
ychydig yn llai argyfyngus, âi pobl allan i'r Paith am fod y bwyd
gartref yn brin: aent, meddai Abram Mathews, "i fanau cyfleus
i ddala helwriaeth gyda'u cwn a'u ceffylau, a byw yno yn
gyfangwbl, ond fod ganddynt negeswyr yn cario cig i'r teuluoedd
oedd ar y dyffryn." Ar un achlysur synnodd rhai o wragedd tai yr
ardal at y darn o gig a landiodd ar stepyn y drws. Nifer o blant a
oedd wedi mynd allan ar gefn ceffyl a dod ar drywydd piwma. Ar
ôl nesu ato'n gwbl ddi-ofn, ei ladd ag ergyd carreg yn ei ben.
Yna llusgwyd y corff adref tu cefn i un o'r ceffylau. Gwelodd
awdur *Ar Lannau'r Gamwy* fod y bywyd yn cryfhau y
cynheddfau a'r galluoedd yma, a gwelodd hyn, yn gywir efallai,
fel atgyfnerthiad o'r elfen wyllt, gyntefig yn natur dyn. Meddai,
ar sail ei brofiad ei hun: "Tra'n hela teimlwn y duedd hon,
gysgasai gyhyd, yn deffro ynof."

    Am flynyddoedd hirion bu perthynas y Cymry â'r Indiaid yn
brofiad mwy real na'r berthynas â'r "Lladinwyr". (Hyd yn oed
ym 1896 yr oedd dros ugain y cant o'r boblogaeth yn Indiaid, a
dim ond wyth yn "Yspanaeg".) A rhoes haneswyr y Wladfa
dipyn o sylw i'r "brodorion", ffaith nid annisgwyl ymhlith
cenedl a fagwyd ar ddelfrydau'r Gymdeithas Genhadol. Daeth y
Gwladfawyr i gysylltiad â dau deip o Indiad—*Tehuelche*'r
arfordir, pobl dal, gyfeillgar, a fu mewn cysylltiad agos â'r
Cymry, ac a ddysgodd ganddynt ar y cychwyn cyntaf y frawddeg
hanfodol "Poco bara" ("Ychydig o fara"), gan brisio'r bara
hwnnw gymaint fel yr ystyrid un dorth yn gyfwerth â hanner
guanaco! Mewn cyferbyniad, creadur pur wahanol oedd
Araucano'r mynydd-dir a'r diffeithwch o gylch troed yr Andes,
gŵr byrrach o gorfforaeth na'r *Tehuelche,* ac a gadwodd ysbryd
treisgar, rhyfelgar ei gyndeidiau, a ymladdodd mor ffyrnig yn
erbyn y Sbaenwyr yn yr unfed ganrif ar bymtheg, gan roi i
Alonso de Ercilla destun y gerdd arwrol Sbaeneg enwocaf yng
nghyfnod y Dadeni, *La Araucana* (1569). Meddai'r awdur yn ei
ragair:

Ac os ymddengys i neb fy mod i'n dueddol braidd i ochr yr
Araucaniaid, gan drafod eu pethau, a'u gweithredoedd dewr,
yn fwy manwl nag sy'n ofynnol i farbariaid, fe welir, o graffu
ar eu magwraeth, eu defodau, eu ffordd a'u harfer o ryfela,
mai ychydig a ragorodd arnynt, ac ychydig a amddiffynnodd
eu tiriogaeth gyda'r fath lewder, a gwydnwch, yn erbyn
gelynion mor ffyrnig â'r Sbaenwyr.

Un o goelion cadarnaf a melysaf y Wladfa yw'r berthynas
hapus rhwng y Cymry a'r Indiaid. Fel gyda phob chwedl bwysig
roedd ynddi fesur o wir, a gronyn o hunan-dwyll. Rhoddai i rai,
yn eu plith Eluned Morgan, y sicrwydd i'r Cymry ymddwyn fel
Cristnogion da, a rhagori felly ar y 'Lladinwyr creulon'. Ond
gwelai eraill y sefyllfa yn wahanol ddigon—yn ôl ei fab Miltwn,
dioddefodd John Evans, *Baqueano,* lawer ar law'r Indiaid
creulon, dialgar ("cas fel llew," ebe Miltwn am yr *Araucano),* a
bu raid i'r tad ymdrechu'n galed i'w curo trwy rym arfau. Yn ôl y
tyst hwn, sentiment llwyr a oedd yn sail i safbwynt pobl fel
Eluned Morgan. A thystia hanes nad rhagoriaeth foesol y Cymry
yn syml a esboniai'r berthynas dda rhyngddynt a'r Indiaid (ac
nid oes wadu hyn am flynyddoedd cyntaf y Wladfa), ond y ffaith
i lywodraeth yr Ariannin wneud taliadau i'r Indiaid i'w cadw
rhag ymosod ar sefydliad a allai, pe llwyddai, warantu hawl y
wlad gyfan ar y darn hwnnw o'i thiriogaeth faith. Serch hyn,
rhaid dwyn sylw hefyd at dystiolaeth a roddwyd i George
Musters ym 1869 gan rai o Indiaid y Chubut, fod y Cymry yn
hyfrytach pobl, ac yn ddiogelach, o safbwynt yr Indiad, na
"Christnogion" yr Afon Ddu.

Ond pa mor dda bynnag y berthynas, yr oedd iddi, o angen-
rhaid, ei heiliadau o amheuaeth ac arswyd. Wedi'r cwbl nid
profiad yn y gorffennol ydoedd y *malones,* cyrchoedd didostur yr
Indiaid ar gartrefi'r Lladinwyr. A phrin y gellid cyfrif ar ysbryd
cyfeillgar y brodorion mewn cyfnod pan ddioddefasai eu brodyr
gymaint mewn taleithiau eraill ar law milwyr gwlad Ariannin,
a'r bobl wen. Yr oeddynt hefyd yn eu perthynas â'i gilydd, yn
arbennig ar ôl diota, yn ysgafala weithiau, a chreulon. Mewn
amgylchiadau felly y teimlad oedd mai gobeithio'r gorau oedd y
polisi doethaf, a hyn a gadwai'r Cymry efallai rhag ymosod pan
ddeuai'r Indiaid heibio yn finteioedd bygythiol yr olwg. Nid
rhyfedd i'r amheuon a'r arswyd bara er gwaethaf y gyfathrach

achlysurol. Stori ddifyr yw honno am y panic a ledodd drwy'r fro
wedi i Gymro, wrth danio'i bibell, roi ar dân y goelcerth a
fwriedid fel arwydd fod yr Indiaid ar fin ymosod. Cof gan un
henwr 86 oed (ym 1972) am y llwyth o Indiaid a ddeuai i wersyllu
i'r Gaiman Newydd, ac am y pryder a godai ym mynwes llawer
mam a gwraig. Eto, byddai rhai Indiaid yn taro i mewn i'r capel
ar nos Sul i wrando ar felyster y canu, a gwyddys am y pennaeth
Kingel (a sentimentaleiddiwyd braidd gan Eluned Morgan), a
ddysgodd iaith y Cymry, ac a gadwodd gyfeillgarwch triw tuag
atynt.

Y gwirionedd pwysicaf yw i'r Cymry ddysgu llawer gan yr
Indiaid. Hwy yn wir oedd eu hathrawon cyntaf. Pan fethodd
gŵyr mintai'r *Mimosa* â thrin y gwartheg gwyllt a'u disgwyliai
ger traethau Madryn, yr hanner Indiad a ddaeth â nhw i lawr o
lannau'r Río Negro, a ddangosodd mai'r ffordd i'w gwastrodi
oedd "taflu rhaff ledr am ben y creadur ac yna arwain y fuwch
at bost oedd wedi ei sicrhau yn y ddaear." Yn ddiweddarach hen
bennaeth Indiaidd o'r enw Francisco a ddysgodd i'r Cymry
ddefnyddio'r *laso* a'r *bolas* (y tair pelen ynghlwm wrth bob o
raff, a deflid er mwyn taro anifail yn ei ben, neu ei faglu a'i
glymu wrth ei goesau). Tystiodd y Cyrnol Fontana, rhaglaw
Talaith Chubut, a fu'n arweinydd i'r Cymry ar y daith arloesi i'r
Andes, i fedr Indiaidd y Gwladfawyr: "Bu modd imi mewn
rhyfeddod werthfawrogi medrusrwydd fy nghydymdeithion
glew . . . mae'r Cymro'n marchogaeth fel Arab, yn dal yr estrys
a'r *guanaco* â'i *bolas* fel yr Indiad, ac yn defnyddio'i *Remington*
fel un o filwyr ein byddin."

Yn ei Ddyddiadur yn disgrifio'i daith ymchwil drwy wlad yr
Andes ym 1895 nododd Llwyd ap Iwan am un man lle buont yn
torri'r siwrnai: "Cawsom yno dot o fati." Dengys yr ymadrodd
cymysgryw o dair iaith sut yr aeth y priod-ddull hwn yn rhan o
iaith bob dydd, ac fe'i clywir o hyd yn y Wladfa. Yr oedd yr arfer
o gymryd y "te o Baraguay", yr *yerba* (gweiryn) ac iddo flas mor
chwerw, yn hen eisoes ymhlith yr Archentwyr Lladinaidd, ond y
tebyg yw mai gan yr Indiaid y dysgodd y Cymry amdano'n
gyntaf. Gair *quechua,* un o brif ieithoedd yr Indiaid, yw *mati,*
a'i ystyr yw'r calabash y byddys o hyd yn defnyddio'i groen crwn,
cau, i baratoi'r trwyth ynddo. Ceir gair arall yn yr un Dyddiadur
sy'n dangos dylanwad arferion, ac iaith, yr Indiaid, sef "charcio

cig," hynny yw ei gadw trwy ei sychu'n gyntaf yn yr haul, term
arall a barhaodd yn y Gymraeg hyd heddiw.

Yn y dechreuad bu masnachu gyda'r Indiaid trwy gyfnewid
bwyd y Cymry am grwyn a phlu estrys, a'r rhain wedyn yn troi'n
arian cylchredol yn y Wladfa. Trodd y fasnach hon yn sail
perthynas gyson a pharhaus. Adroddwyd ambell stori ddoniol
am y masnachu, fel honno am yr Indiad a'r Cymro yn cyfnewid
watsh am gaseg, a'r brodor yn ei grogi am ei wddf er mwyn cael
gwrando arno o bryd i'w gilydd yn gwneud sŵn! Yn ddiwedd-
arach trodd y berthynas gyfeillgar, ysbeidiol, yn fusnes ffurfiol,
a dygai tudalennau'r *Dravod* hysbysebion yn dwyn sylw at y
ffaith fod rhai siopau yn Nhrelew yn gwerthu *quillangos* sef
blancedi, *bozals* sef penffrwyni, a phethau eraill "o wneuthuriad
Indiaidd." Yr oedd y *poncho* hefyd, gair o'r iaith *Araucano*,
wedi gwneud ei ffordd i'r Dyffryn, ac yn un o'r "Llithiau ar
Iechyd y Wladfa," ym 1896, dyry'r *Dravod* ei farn nad oedd y
poncho "mor gynes a chyfforddus a chob uchaf yn y Wladfa."
Boed hynny fel y bo, yr oedd amryw, mae'n amlwg, yn ei wisgo, a
phrofiad cyntaf W. M. Hughes, wrth gyrraedd Rawson ym 1881,
ydoedd gweld cwch yn dynesu atynt o'r lan: "Roedd clywed y
cychwyr hyn yn siarad Cymraeg glân di-lediaith a'r *Poncho*
wisgent ar eu hysgwyddau, fel breuddwyd o wlad hud." Efallai
nad gan yr Indiaid lleol y pwrcesid y *poncho,* a aethai eisoes ers
blynyddoedd meithion yn rhan o wisg yr Ariannin, ond hwy yn
ddiau a fasnachai fwyaf mewn crwyn anifeiliaid a phlu estrus.
Cofiai Ceredig Davies amdanynt yn dod rhyw unwaith neu ddwy
i'r Wladfa bob blwyddyn i farchnata, a dengys adroddiad capten
H.M.S. *Pegasus* ar gyflwr y Wladfa ym 1899 i'r Sefydliad yn y
flwyddyn flaenorol allforio ymhlith pethau eraill dros dair mil o
grwyn *guanaco* wedi eu gwneud yn rygiau, deg tunnell o blu
estrys, a chant a hanner o grwyn piwma yn gwerthu am hanner
coron yr un. Os ydoedd y berthynas rhwng y Cymry a'r Indiaid
yn dda, un rheswm am hynny, fel yr awgrymodd W. M. Hughes,
ydoedd fod y Tehuelchiaid yn cael y Wladfa'n fanteisiol iddynt o
safbwynt masnachu.

Oherwydd eu bywyd crwydrol, byw ar gyfyl y Wladfa a wnaeth
yr Indiaid wedi i'r Cymry, yn olyniaeth y *cristianos* eraill, ddwyn
oddi arnynt diroedd lle bu eu cyndeidiau'n crwydro ac yn codi'u
toldo crwyn. Ym 1875, ebe Ceredig Davies, yr oeddynt o hyd i'w
gweld ymhobman, ac ni ddiflanasant yn llwyr o'r Dyffryn hyd yn

Ceri Ellis yn Yfed Mate

oed heddiw, ond teulu isradd ydynt, a'u hwynebau tywyll yn fwy amlwg ger y cabanau trist ar oror Trelew nag yn y dref ei hun. Gynt bu rhai ohonynt yn byw ymhlith y Gwladfawyr—cofiai un hen blismon o Indiad ym 1971 am y cyfnod pryd y cartrefai gydag un o'r teuluoedd Cymraeg, gan ddysgu'u hiaith a'u harferion, a mynychu'r Ysgol Sul, gwasanaethau'r Saboth, a'r cyfarfodydd cystadleuol. Efallai fod digwyddiad felly yn ganlyniad anuniongyrchol i'r ysbryd a ffynnai'n gynharach, pan deimlid mai dyletswydd y Cymry oedd ennill yr Indiaid i Grist. Dywaid adroddiad Cymdeithas Genhadol Patagonia am y flwyddyn 1874: "Y mae plant yr Indiaid yn dysgu Cymraeg, ac y mae rhai o blant y penaethiaid yn dyfod at Mr. Jones (y Parch. D. Ll. Jones) i dderbyn addysg grefyddol."

Eithr trist yw diflaniad y gŵr tywyll o'r tiroedd y bu'n hela trostynt am ganrifoedd. Yn ei lyfr taith cyfeiriodd Harri Samuel at ŵr a oroesodd o'r hen fywyd, y cyfarfu ag ef ar y ffordd i'r Andes: "Yng ngwesty Herrería cyfarfum ag un hen Indiad a honnai ei fod yn gant ac wyth. Pwy oedd a'i hamheuai, ac yntau yn etifedd blynyddoedd digyfrif y Paith? Medrai siarad iaith y llwyth Arawcanaidd, ac ychydig ohonynt sydd yn awr ysywaeth. Trueni bod dyn mor annynol at ei gyd-ddyn ac mor barod i ddifa ei bethau gorau. Pa drysor mwy y gallai'r Arawcaniaid gyfrannu i wareiddiad na'u hiaith?" Mae gan y Cymry gyfrifoldeb, os bychan, yn y mudandod hwn.

*   *   *

Cyhoeddwyd yr arfaeth ar gyfer gwladychfa Gymreig ym Mhatagonia yn gwbl groyw mewn deiseb a yrrwyd at Lywodraeth yr Ariannin yn Nhachwedd 1861, bedair blynedd cyn i'r ymfudwyr lanio yng ngwlad yr addewid:

Gallwn eich hysbysu mai ein dymuniad yw cael gwlad lle y gallwn gael llywodraethu ein hachosion mewnol yn gyfangwbl, heb unrhyw ymyriad o eiddo un genedl arall yn cin pethau bydol a chrefyddol. Hefyd ein dymuniad yw fod i'r Weriniaeth Argentaidd ganiatáu i'r Wladfa Gymreig yn Patagonia fod yn Dalaeth o'r Weriniaeth ei hunan.

Ceid yng ngwead yr Ariannin rai pethau ffafriol, ac eraill an-ffafriol, i wireddu'r breuddwyd hwn. Gwlad newydd oedd hi, wedi ennill ei rhyddid o iau'r Sbaenwyr ym 1816, a hynny dan ddylanwad egwyddorion ac ysbryd y Chwyldro Americanaidd, a Ffrengig. Ymgnawdolir delfrydiaeth y cenedlgarwch ifanc ym Mariano Moreno, a gyfieithodd *Gytundeb Cymdeithasol* Rousseau i'r Sbaeneg, a sefydlu llyfrgell gyhoeddus ym Muenos Aires i sicrhau nad anghofid y syniadau a arweiniodd i'r chwyldro. A chysylltwyd ysbryd rhyddid cenedl â'r awydd am ddatblygu'n economaidd a pholiticaidd, cyfuniad a helpodd i ddeffro'r gwladgarwch cryf hwnnw sy'n nodweddu'r wlad hyd heddiw.

Ond anodd a therfysglyd fu hanner canrif cyntaf y wlad newydd. Collodd yr Ariannin ddau ddarn o'i thiriogaeth draddodiadol, gan i Uruguay a Pharaguay (a rhoi iddynt eu henwau newydd) ennill eu hannibyniaeth. Ac amlygwyd yn nhiriogaethau eraill yr Ariannin yr un dynfa i ymryddhau o afael Buenos Aires, prif-ddinas, a phrif dalaith y wlad. Amlygai'r frwydr rhwng y canol a'r tiriogaethau allanol hefyd ddau begwn gwrth-gyferbyniol ar fywyd; meddylfryd Ewropeaidd y brif-ddinas, ac anarchiaeth y taleithiau. Ceid yn y gyntaf barch i ryddid oddi fewn i'r ddeddf, ac yn y darn arall o'r wlad rheolai safonau'r *gaucho,* bugail yr eangderau heb ganddo amgyffred clir o gym-deithas na chyfraith, a'i werth moesol ynddo'i hun, yng ngrym ei gyllell ac yn ei hunan-barch dilyffethair. Bu blynyddoedd y sgarmesu rhwng ffederal ac *unitario* (cefnogwyr trefn lac a'i hawdurdod wasgaredig ymhob talaith, yn erbyn y rheini a fynnai undod gwlad wedi'i sefydlu ar Buenos Aires) gyda'r creulonaf yn hanes unrhyw genedl, a dygwyd gwerthoedd y *gaucho* i Buenos Aires ei hun, pan gychwynnodd y cadfridog Juan Manuel Rosas ar ei gyfnod o unbennaeth farbaraidd ym 1829, a'i gadw ei hun ar yr orsedd nes symudwyd ef ym 1852.

Wedi cwymp Rosas medrodd yr hen werthoedd Ewropeaidd eu hamlygu'u hunain unwaith yn rhagor. Penderfynwyd ar gyf-ansoddiad newydd (tebyg ddigon i'r eiddo'r Unol Daleithiau), a oedd yn rhyddfrydol iawn ei safbwynt, ac yn gwahodd pobl o bob cenedl i fyw ar dir yr Ariannin, a mwynhau yno eu priod freint-iau dinesig. Hawdd deall apêl cyfansoddiad felly yn y cymhelri radicalaidd yn Ewrop wedi chwyldro 1848. Ac aeth llywodraeth Buenos Aires ati'n ddiymdroi i wahodd, a threfnu ar gyfer, llif

mawr o ymfudwyr—o'r Swisdir, o'r Almaen, o'r Eidal—gan
ddechrau cyfnod yr ymfudo mawr i'r Ariannin. Bu eu dyfodiad
yn foddion cryfhau'r elfen sefydlog yn y wlad, a garai drefn a
sicrwydd. A defnyddiwyd yr ymfudwyr fel cyfrwng yn y polisi o
foderneiddio'r wlad, gan wneud arloeswyr ohonynt hefyd mewn
rhannau na welsai gynt ond ambell lwyth o Indiaid crwydrol.

Enghraifft o'r polisi hwn oedd yr ymgais swyddogol i
wladychu De'r Ariannin. Ym Medi 1856 ymddangosodd
hysbysiad yn y *Times* yn Llundain yn cyhoeddi, yn enw Llywod-
raeth yr Ariannin, dermau ffafriol iawn ar gyfer gwladychu "ar
arfordir Patagonia", geiriau a ddynodai'n unig yn y cyswllt hwn
leoedd i'r gogledd o'r Río Negro, hynny yw ardaloedd llai ang-
hysbell na glannau Chubut. Nid hap a damwain felly a barodd i
Gymry ddechrau sôn am fynd i Batagonia: swniai'r amgylch-
iadau'n ddigon delfrydol—digon o diriogaeth ddiboblogaeth (ac
felly obaith am sicrhau gwladfa a gadwai'i Chymreictod),
addewid am dir, a hynny oddi fewn i wlad a chanddi
gyfansoddiad a warantai ryddid politicaidd a chrefyddol, ac a
roddai le amlwg i hunan-lywodraeth y taleithiau.

Oherwydd i lif hanes droi i gyfeiriad gwahanol, ymddengys
arfordir Patagonia i ni heddiw yn ddarn digyswllt, fel pe na bai'r
Wladfa yn ddim ond damwain gwbl fympwyol ar y glannau
hynny. Mewn gwirionedd bu'r arfordir hwn dros y canrifoedd â
chysylltiad pur agos, os ysbeidiol, â hanes Prydain Fawr, ffaith
sy'n helpu esbonio'r amheuon a goleddid weithiau yn ddiwedd-
arach yn yr Ariannin ynghylch y Prydeinwyr hyn a geisiai ymsef-
ydlu ar lannau Chubut.

Bu Prydain â'i golwg am ganrifoedd ar arfordir deheuol yr
Ariannin. Angorodd Francis Drake ym 1580 yn Seal Bay ym
Mhatagonia, i'r de o Puerto Deseado ("Porthaethwy" y Gwlad-
fawyr wedyn), a rhoes ei enw i'r culfor rhwng y Tierra del Fuego
ac Antarctica. Bum mlynedd wedyn daeth Thomas Cavendish yn
sgîl Drake, a glanio yn Puerto Deseado, tra aeth Andrew
Merrick hyd lannau culfor Magallanes. Ymhen llai na chanrif
dechreuodd Sir John Narborough sefydliad yn Deseado, gan
ddatgan felly ar y pumed ar hugain o Fawrth 1670:
*"Gentlemen, you are by me desired that this day I take
possession of this Harbour and River Desire and of all the lands
in the country on both shores for the use of His Majesty King
Charles the second . . ."*

Bu perchnogaeth Ynysoedd Falkland (sy'n gorwedd rhyw dri
chan milltir i'r dwyrain o'r Tierra del Fuego) yn destun ymrafael
rhwng Prydain a'r grymoedd cenedlaethol eraill dros gyfnod hir,
ac yn achlysurol chwaraeodd eu glannau ran fechan yn hanes
cynnar y Gwladfawyr. Glaniodd Capten Strong o'r llong
Farewell yno ym 1690, ond ym 1764, pan diriodd Bougainville ar
eu glannau, fe'u hawliwyd i goron Ffrainc, a thoc dyma
drosglwyddo'r hawlfraint i'r Sbaenwyr. Methodd Prydain ag
adfer ei hawl hi, ac ildiodd yr ynysoedd i Sbaen, ond
manteisiodd wedyn ar yr anhrefn boliticaidd a nodweddodd
flynyddoedd cyntaf Gweriniaeth yr Ariannin, a thrwy rym ei
llynges gafaelodd yn swyddogol yn yr ynysoedd ym 1833. Parhânt
o hyd yn nwylo'r Prydeinwyr, er gwaethaf honiadau'r Ariannin
eu bod yn rhan o'i thiriogaethau hi. O safbwynt Cymreig mae'n
ddiddorol mai *Las Islas Malvinas* yw'r enw Sbaeneg ar yr ynys-
oedd, ac i hynny ddeillio o'r enw a roddwyd gan y Llydawyr a
aeth yno yn y ddeunawfed ganrif i hela'r morfil—eu gwir ystyr
felly yw "Ynysoedd Gwŷr Sant Malo", sy'n coffáu, nid yn am-
hriodol, un o *peregrini* ffyrdd y Seintiau Celtaidd, a chyn-abad
cwfaint enwog Llancarfan.

Bu hefyd gan Brydain ddiddordeb uniongyrchol yng ngwlad
Ariannin ei hun, o dua diwedd y ddeunawfed ganrif, pryd y
dechreuwyd sylweddoli manteision economaidd datblygu porth-
ladd Buenos Aires, a masnach rhyngddo ac Ewrop. Oherwydd yr
ofn y byddai'r Saeson neu'r Portiwgeaid yn ymsefydlu ar lannau
Patagonia, crëwyd rhaglawiaeth La Plata ym 1776 a rhyddhau
honno felly o awdurdod Periw. Ffaith eironig yn wyneb hyn yw i
annibyniaeth yr Ariannin ymhen llai na deugain mlynedd
arwain yn union at y ffyniant masnachol a'r manteision econom-
aidd y bu Prydain Fawr yn breuddwydio amdanynt.
Ymddangosai Prydain hefyd (oherwydd ei thraddodiad rhydd-
frydol) yn gyfaill i genedlgarwyr cyntaf Ariannin yn eu brwydr yn
erbyn trais Ymerodraeth Sbaen, ac eironi arall felly yw i laniad
aflwyddiannus milwyr Prydain ym Muenos Aires ym 1806 helpu
deffro'r ysbryd cenedlaethol a arweiniodd at fuddugoliaeth yr
Archentwyr ym 1810. Erbyn heddiw amhosibl bron yw credu i
Carlos Alvear, un o'r cenedlgarwyr enwocaf, geisio ym 1814,
mewn llythyr swyddogol at weinidog tramor Lloegr, berswadio ei
llywodraeth i dderbyn Ariannin fel rhan o Brydain, ac y byddai'r

Archentwyr yn barod *"to receive its laws, to obey its government, and to live under its powerful influence."*

Oni wireddwyd rhan gyntaf dymuniad Alvear, nid oes amheuaeth i Brydain ddylanwadu'n rymus ar fywyd Ariannin drwy gydol y ganrif ddiwethaf. Sefydlodd Saeson ac Albanwyr eu masnach yno, datblygasant y rheilffyrdd, arloesasant am fwynau, ac arbrofasant gyda'r *estancias* mawrion. Fel canlyniad tyfodd cnewyllyn o Anglo-Archentwyr, pobl â'u hymlyniad wrth Ariannin yn ogystal ag wrth Brydain, a gadwodd eu cysylltiad â iaith a diwylliant Lloegr yn fyw trwy yrru'u plant adref i Loegr i'w haddysgu, neu drwy roi iddynt addysg Saesneg ym Muenos Aires a chanolfannau eraill. Daliodd y grŵp Anglo-Archentaidd yn rym yn hanes y wlad, ac hyd yn oed heddiw erys ei ddylanwad yn bwysig. Er y ceid amryw o gysylltiadau'n ddiweddarach rhyngddi a'r traddodiad hwnnw, neilltuid menter y Cymry mewn modd arbennig. Yr oeddynt, o safbwynt Prydain, yn eithriad yn y wlad newydd, os cofir mai cymharol ychydig o Brydeinwyr eraill a ymgartrefodd yno, er gwaethaf holl bwysigrwydd economaidd y presenoldeb Prydeinig yn Ariannin trwy gydol y ganrif. Yn wir, aflwydd a fu hanes yr unig wladychfa arall o bwys, sef Monte Grande, nepell o Buenos Aires, lle'r aeth dros ddau gant o Albanwyr ym 1825. Dioddefodd y wladychfa honno gan anrhefn suful y blynyddoedd hynny. Gwasgarwyd hi ym 1829, yn fwyaf arbennig oherwydd y cyflogau uwch y gellid eu hennill yn y brif-ddinas. Dengys y ffeithiau hyn mai un o fanteision annisgwyl gwladfa Chubut fyddai ei phellter o bob man.

Yng nghyd-destun hanes yr Ariannin yn ail hanner y bedwaredd ganrif ar bymtheg ymddengys y Gwladfawyr Cymreig ar y cyfan yn elfen annodweddiadol. Mewn gwlad anhrefnus, ac ynddi duedd at yr hyn a alwodd un hanesydd yn "ddemocratiaeth derfysglyd," nodwedd y Cymro ydoedd ei gred mewn trefn, a'i allu i'w lywodraethu ei hun drwy broses ddemocrataidd—yn hyn bu disgyblaeth a threfn bywyd capel yn gynorthwy mawr, tra oedd cydweithrediad rhwng cymydog a chymydog yn rhan o'u cynhysgaeth wledig Gymreig. Pan fu Jorge Fontana, rhaglaw cyntaf Tiriogaeth Chubut, yn y Wladfa ar adeg etholiad, tystiodd na welsai erioed "bobl yn pleidleisio mor ddeallus a heddychol â'r Cymry." Dwedodd un peth arall cofiadwy amdanynt, nad oeddynt "wedi troi'n Indiaid" (hynny yw, derbyn ffordd o fyw brodorion y Paith) "am fod ganddynt hen hanes o

lafur a diwylliant." Mewn geiriau eraill, gwladychwyr oeddynt,
ac nid crwydriaid ar wyneb y Paith: trwy gynneddf a phrofiad yr
oeddynt yn hyddysg yn y dasg o greu cymdeithas yn yr anialwch.
Tystia hanner canrif cyntaf y Wladfa (pan adewid cymaint yn
nwylo'r boblogaeth leol) i'w gallu i osod mewn gweithrediad ym-
arferol yr egwyddorion hynny a dagwyd yng Nghymru gan rym
dosbarth a braint, a chan lywodraeth estron. Yn yr ystyr hon
daeth y Wladfa, tros gyfnod beth bynnag, yn agos at gorffori'r
weledigaeth a fynegwyd yng ngeiriau datganiad 1861.

Ar y llaw arall, er bod y Cymry'n gaffaeliad i'r Ariannin,
milwriai llawer yn ei bywyd yn erbyn nodweddion gorau'r
Gwladfawyr. Pobl a chanddynt ffydd yn y gyfraith yn byw mewn
gwlad Ladinaidd, lle defnyddid y gyfraith fel arf er sicrhau budd
personol; pobl yn tueddu i weithredu trwy organau swyddogol y
gymdeithas, er gwaethaf y ffaith fod yr Archentwyr (yn arbennig
wŷr y berfeddwlad) yn dirmygu'r organau hynny, ac yn eu defn-
yddio i'w budd eu hunain. "Cael byw'n dda, diogi a bod yn ddi-
ofal, dyna wynfyd y *gaucho,"* meddai Sarmiento, a chadarnheir
y darlun hwn yn nhudalennau Charles Darwin: nid oedd cym-
deithas drefnedig yn golygu fawr i frodor y Paith, unigoliaeth
oedd ei ddelfryd. Yn natblygiad diweddarach y Sefydliad, pan
dynnwyd y Cymro fwyfwy i mewn i gylch bywyd cenedl gyfan,
arweiniodd y cyferbyniad hwn rhwng meddylfryd y Gwladfawyr
a rhai gweddau pwysig ar y gynhysgaeth Archentaidd at ddau
ganlyniad cyfochrog. Ar yr un llaw, oherwydd ei foesoldeb gywir
a'i onestrwydd, collodd y Cymro lawer gwaith y frwydr yn erbyn
pobl nad oedd ganddynt wrthwynebiad i lygredd cyhoeddus, lle
talai hwnnw iddynt. Ar y llaw arall, parchwyd, a pherchir, y
Cymro yn y Chubut fel dyn y gellir dibynnu arno am ei unplyg-
rwydd.

Mewn cyfeiriadau eraill, cyd-weddai cymeriad ac arferion y
Cymro â'r eiddo gwlad Ariannin. O leiaf fe'i moldiwyd ef gan yr
un amgylchiadau. Ym mhob rhan o'r byd y mae'r profiad
gwladychol yn cryfhau'r duedd at letygarwch ac at
gydweithrediad. A chan fod pawb wedi gorfod cyd-ddioddef, yr
oedd y Sefydlwyr yn gyfartal yn ystyr ddyfnaf yr ymadrodd.
Ymhen llai na deng mlynedd ar hugain ar ôl sefydliad y wlad
newydd, gwelodd Ceredig Davies y Gwladfawr fel rhywun a'i
hystyriai ei hun yn "fath o arglwydd," un a fedrai fynd i hela lle
mynnai, ac a deimlai'n gymaint o ŵr bonheddig ag unrhyw

sgweier yng Nghymru! Yn wyneb y ffaith mai profiadau cyffelyb a gafodd amryw eraill o newydd-ddyfodiaid i wlad yr Ariannin yn y ganrif ddiwethaf ac yn hon, nid rhyfedd i'r boblogaeth newydd a ddylifodd i'r Wladfa wedi'r Rhyfel Mawr Cyntaf, ac yn arbennig wedi'r Ail, amlygu'r un nodweddion hyn yn eu tro. Cytuna Cymry heddiw nad yw'r bobl newydd damaid yn llai croesawus a chymwynasgar na hwy, er i'r sustem draddodiadol Gymreig o gydweithrediad a chymwynasgarwch yn y bywyd amaethyddol ildio i ryw raddau i drefn fwy annibynnol. Yn fwyaf arbennig daethant oll fel ei gilydd yn etifeddion i'r ymdeimlad naturiol o gyfartaledd a geir yn yr Ariannin, nodwedd a wnâ ei phobl yn debyg i Americaniaid yr Unol Daleithiau. Hefyd, boed yn y brif-ddinas neu mewn rhannau eraill o'r wlad, teimla dyn yn rhydd, ac yn rhadlon. Ac waeth beth a ddywedom am anhrefn y wlad a'i llywodraethau ysig, glyna'r Archentwr wrth ei ffydd yn Ariannin a'i phobl. Gwir na fynegai'r Gwladfawyr yr un gwladgarwch disyflyd, dwfn a nodwedda amryw o newydd-ddyfodiaid a ffodd o un wlad ac ymdynghedu i un arall—darluniwyd y broses honno yn fyw a difyr gan Leopoldo Marechal yn un o gymeriadau ei nofel *Adán Buenosayres,* ymfudwr o Rwsia a ddaeth yn ifanc iawn i Ariannin a'i ystyried ei hun yn fuan "yn· *aborigine'r pampa."* Yn hytrach cadwyd y Cymry am hir ar wahân gan eu breuddwyd, a'u pellter o bob man. Eithr bellach, aethant yn rhan annatod o'r traddodiad Archentaidd.

Yn neugain mlynedd cyntaf y Wladfa, gwahanol oedd y stori. Naturiol oedd hi i'r Llywodraeth atgoffa'r Cymry eu bod yn Archentwyr, a dannod iddynt eu Cymreictod. Eithr yr oedd i'r Cymry eisoes ymwybyddiaeth ddwbl. Cymry oeddynt, ond yr oeddynt hefyd yn Brydeinwyr. Pan gododd y *Mimosa* ei hangor yn afon Merswy ym 1865 dechreuodd y Cymry ganu "God Save the Queen"—yn Gymraeg. Arwyddocaol yn yr un modd ydoedd dwyieithrwydd banllef ddigrif Phillips (Brazil), "Up with the Ddraig Goch!" Nid dweud yr ydys nad oedd y gwladychwyr hyn yn awyddus i sefydlu Cymru rydd, annibynnol, a'r Gymraeg yn fynegiant naturiol iddi. Yn hytrach iddynt ddwyn gyda hwy yr un ddibyniaeth ar Loegr ag a oedd wedi nodweddu'u bywyd yn yr Hen Wlad. A daw'r ddibyniaeth honno i'r golwg ar oriau o argyfwng, neu o fantais, yn yr un modd ag y bydd plentyn sy'n awyddus fynychaf i ddangos ei annibyniaeth ar ei rieni, yn closio atynt eilwaith pan alwo rhyw angen neu ansicrwydd heibio.

Naturiol i'r Gwladfawyr ddefnyddio gwasanaeth llysgennad Prydain ym Muenos Aires yn y blynyddoedd cyntaf, ac i'w helyntion ddeffro diddordeb a phryder Tŷ'r Cyffredin yn San Steffan—wedi'r cwbl, yr oedd gan ddeiliaid Prydain (Saeson, Albanwyr, Gwyddelod, a Chymry fel ei gilydd) hawl i alw ar wasanaeth grym y Goron. Mwy arwyddocaol o lawer yw'r duedd ddiweddarach yn y Gwladfawyr i'w hystyried eu hunain yn Brydeinwyr. Er enghraifft, pan gododd helynt ym 1882/4 parthed annibyniaeth a hawliau'r Wladfa y tu mewn i'r Ariannin, holwyd cwestiwn yn Senedd Lloegr, gyda'r canlyniad i'r Wladwriaeth Seisnig geisio ymyrryd ar eu rhan. Mewn llythyr yn datgan ei ddiolch, cyfeiriodd Lewis Jones at "ein helyntion ni yn y Wladva, vel dyrnaid o Brydeinwyr yn ymladd am chwarae teg dan anhawsterau lawer . . .; diau vod yr ymdeimlad hwn o nodded i'r gorthrymedig wrth wraidd ein hedmygedd o'r vaner Brydeinig."

Mewn helynt arall debyg, defnyddiwyd yr apêl at Brydeindod yn fwy agored, ac mewn modd mwy peryglus. Y flwyddyn ydoedd 1899, a'r broblem ydoedd penderfyniad Llywodraeth Tiriogaeth Chubut fod rhaid i'r Cymry ddrilio ar y Saboth fel rhan o'r orfodaeth filwrol arnynt. Gwrthododd y Cymry ar dir egwyddor, ond er pob deiseb a phrotest, ni lwyddasant i newid y penderfyniad swyddogol. Yn y diwedd dyma alw sylw Llywodraeth Lloegr at eu cwynion, a dewis dau gynrychiolydd i fynd i Lundain i drafod y mater. Cytunodd y pwyllgor protest, yn ddirgel, ar dermau penderfyniad a alwai ar y Senedd i gyhoeddi "mai Tiriogaeth Brydeinig yw Patagonia," ar y sail fod y Sefydlwyr ym 1865 wedi cadarnhau'r hawl ar y darn hwnnw o'r byd, a ddatganwyd gan Sir John Narborough ym 1670. Gellid dadlau, mae'n debyg, mai erfyn diplomyddol oedd y brotest yn hytrach na chais difrifol i ddod dan faner Prydain, ond dengys o leiaf pa mor gryf oedd y reddf a'r atyniad Prydeingar.

Ymhen ychydig amser daeth yn argyfwng y llifogydd. Tynnodd Ernest Scott sylw, yn ei adroddiad swyddogol, at "Brydeindod" y Gwladfawyr, a phwysleisiodd mai prif ddymuniad y rhai a oedd â'u bryd ar adael Patagonia ydoedd cael ymsefydlu mewn rhan arall o'r byd "dan y faner Brydeinig," ac ar un olwg yr oedd cais rhai o'r Cymry i ymsefydlu yng Nghanada neu yn Ne'r Affrig yn datgan yr ymdeimlad fod tiroedd eang yr Ymerodraeth Brydeinig yn briod faes iddynt.

Mynegwyd yr ymlyniad wrth Brydain mewn ffyrdd eraill. Difyr, er enghraifft, yw'r stori a adroddir gan W. M. Hughes am y Gwladfawr a fynnai westy ym Muenos Aires yn ymyl y *British Consulate*, gan esbonio: "Mae'r bobl yma mor barod i ymladd â'i gilydd, a'r unig le diogel ar amser felly, welwch chi, ydi yng nghysgod y faner Brydeinig sy uwchben y Consulate." Ac er na ddylid edrych yn natganiadau Phillips (Brazil) am ddim byd a nodweddai bawb arall—amlwg ei fod yn ŵr cadarn, ond od ei safbwynt—tybed a oedd eraill a gredai fel ef y buasai'r Chubut wedi aros yn anialwch oni bai "am flaengarwch Prydeinig ac egni Prydeinig?" Ymagweddiad tebyg i'r rhain sy'n esbonio paham y ceir o hyd ymhlith yr hen Wladfawyr bobl yn cadw dau *bassport,* un Archentaidd ac un Prydeinig, ac yn defnyddio'r olaf yn naturiol ar gyfer eu mynediad i wlad Prydain! Nid oes ryfedd i'r Cymry felly eu hystyried eu hunain yn rhan o'r gymdeithas Anglo-Archentaidd: yr oedd honno, wedi'r cwbl, yn grŵp parchus a dylanwadol, yn enwedig ym mywyd Buenos Aires. A rhoddai gwybodaeth o'r iaith Saesneg drwydded mynediad i'r gymdeithas honno—cawn fanylu'n ddiweddarach ar bwnc diddorol yr iaith Saesneg yn y Wladfa.

Dygai (a dwg) y cysylltiad Prydeinig fanteision economaidd i'r Gwladfawyr. Aeth llawer o ferched Cymreig i ymarfer, a rhoi gwasanaeth, fel nyrsis yn yr Ysbyty Prydeinig—Y *Britis,* chwedl pobl y Dyffryn—ym mhrif-ddinas Buenos Aires. Hyd heddiw i'r *Britis* yr â llawer o'r Gwladfawyr am driniaeth feddygol. Câi rhai Gwladfawyr eraill, heblaw'r merched, gyfle ar waith mewn busnes ac iddo gysylltiad Prydeinig—rhaid pwysleisio wrth gwrs fod a wnelo gwybodaeth o'r iaith Saesneg â hyn, ond mantais oedd hon a ddeuai o'u cefndir. Peth mwy rhyfedd yw tuedd rhai o'r *estancias* mawrion sy yn nwylo cwmnïoedd Prydeinig, i gyflogi ar yr *administración* (hynny yw haen uchaf goruchwyl-iaeth yr ystâd) y rheini'n unig sydd o waedoliaeth Brydeinig. Fel canlyniad gweithiodd llawer Cymro ar yr *estancias* hyn, a'i drwydded mynediad yn dibynnu ar ei hiliogaeth.

Ar lefel gymdeithasol daliodd grym Prydeindod am hir amser. Ym 1971 cyfeiriodd un hen wraig o'r Wladfa, a dreuliodd flyn-yddoedd hir ym Muenos Aires, at rin y bywyd Anglo-Archent-aidd. Siaradent Gymraeg gartref, ond Saesneg ymhobman arall! Yn wir cofiai o hyd am y pleser a rôi siarad Saesneg iddi! Yn y dyddiau hynny, y bywyd Saesneg parchus oedd mewn bri yng

nghanol Buenos Aires. Gallech fynd, meddai, ar hyd stryd
Florida, neu siopa yn Harrod's (erbyn hyn ni pherthyn i'r un
cwmni â'r siop ffroenuchel honno yn Llundain, ond ceidw'r un
enw o hyd), heb weld neb ond eich ffrindiau. A diddorol hefyd
mai yn Saesneg y siaradai'r wraig hon â'r Dr ap Iwan (ŵyr
Michael D. Jones, y Bala), a ddaliai bractis fel meddyg ym
Muenos Aires. Cylch cyfrin oedd hwn, a gallai ambell Wladfawr
ymhyfrydu yn ei allu i berthyn iddo.

Gwanychodd grym y gymdeithas Anglo-Archentaidd, fel yr
awgrymais ynghynt, ond erys olion o'r ymlyniad ymhlith y
Cymry, fel darnau o grefydd nas coelir mwy. Yr arwydd mwyaf
amlwg yw'r llun o'r Frenhines Elisabeth a welir ar barwydydd
llawer o'r *chacras* yn y Dyffryn, a chlywir o hyd air o ganmol i'r
Frenhines Victoria. Estyniad, debyg iawn, yw'r parch i enw
Winston Churchill o'r grym ymerodrol hwnnw a gysylltid ag enw
Victoria. Mewn rhai achosion yr oedd y ddolen gysylltiol â
Phrydain mor gadarn nes peri i ambell ddyn ifanc ymateb i'w
galwad yn nydd yr argyfwng: ymladdodd sawl Cymro o'r Wladfa
yn y ffosydd yn Ffrainc yn y Rhyfel Byd Cyntaf, a chyfraniadau'r
Gwladfawyr ynghyd â'u brwdfrydedd yn helpu i'w gynnal yn yr
adwy; ac yn yr Ail, listiodd dau frawd o Esquel yn yr R.A.F. Yr
oedd gweithredoedd felly yn gwbl nodweddiadol, wrth gwrs, o'r
gymdeithas Anglo-Archentaidd.

Tybed a effeithiodd Prydeindod y Wladfa ar ei gallu i wrth-
sefyll yn derfynol rym y Llywodraeth ganolog? Gwelsom eisoes
i'r cysylltiad (a'r meddylfryd) Prydeinig fod weithiau yn gynorth-
wy iddi. Eto ceid iddo un wedd anffodus, gan mai parhâd oedd y
cysylltiad o'r ddeuoliaeth ysbryd a nodweddai fywyd Cymru
ddoe, a heddiw: dymuno cyrraedd amcan cenedlaethol, sef
annibyniaeth, ond heb yr ewyllys na'r profiad politicaidd i
weithredu, a hynny am fod byd gweithrediad politicaidd yn
perthyn rywfodd i gylch Prydeindod yn hytrach na Chymreictod.
O gymhwyso'r ddeuoliaeth hon i gylch newydd bywyd Cymry'r
Ariannin, gellir gofyn a ataliwyd ewyllys gweithredol y Gwlad-
fawyr yn yr un modd gan yr ymdeimlad fod yna rai pethau a rhai
penderfyniadau na pherthynai i gylch Cymreictod y Wladfa. Ar
y cyfan, fel y sylwodd Bryn Williams, "meithrinwyd rhyw anni-
byniaeth eithriadol o ran meddwl ac ysbryd yn y Wladfa." Ond
lle delid â materion yn ymwneud â hawl yr awdurdod leol a hawl
yr awdurdod ganolog, gwelir mwy o ansicrwydd a phetruster.
Rhaid addef ar unwaith fod y rhain yn bynciau llosg, a dyrys. Ar

yr un llaw, ceisiai'r Ariannin (yn gwbl deg) ddwyn y Wladfa dan yr iau genedlaethol, gan fygwth cosbi'r rhai nad ufuddhâi iddi. Ar y llaw arall, yr oedd annibyniaeth y Wladfa yn y fantol. Y gwir yw mai bychan o glod a gafodd Llwyd ap Iwan a Phillips (Brazil) ym 1899 am eu rhan yn y fenter i sefyll yn erbyn awdurdod Ariannin drwy ddadlau achos y Gwladfawyr yn San Steffan! Ac hyd yn oed yng ngyrfa Lewis Jones, gwelir amwysedd ar ba ochr y safai. Bid sicr, anodd ydoedd y dewis. Mynd yno a wnaethant i sefydlu Cymru newydd, ond dangosodd treigl y blynyddoedd yn eglurach mai closio fwyfwy at yr Ariannin a fuasai raid. Ffeithiau yn hytrach na meddylfryd a'u gwastrododd. Eto, yn wyneb parhâd y ddeuoliaeth ysbryd y cyfeiriwyd ati, dichon i'r broses o ymgreinio ac ymaddasu i'r drefn newydd ddigwydd yn haws i'r graddau fod y bobl wedi etifeddu hen ddibyniaeth ar awdurdod allanol.

Parrot, Dyffryn Camwy

Teulu Reynolds, Lle Cul

III   Iaith y Bobl

Pan syllwn i bwllyn dŵr trai, gwelwn weithiau anemone a'i
freichiau aneirif yn chwifio. Â'r rhain y llwydda i ddwyn o'r dŵr
o'i gylch y maeth digonol ar gyfer ei gynnal ei hun. Y mae'n
geiriau a'n hymadroddion yn arfau tebyg, yn ein cysylltu â'n
hamgylchfyd, ac yn bwydo'n hymwybyddiaeth fesul gronyn
bach. Gan fod iaith yn medru goroesi, rhydd dystiolaeth o
brofiad doe, yn y modd y medrai crombil creadur y môr a
wasgwyd ganrifoedd yn ôl rhwng dwy haenen o laid, ddatgelu
cyfrinach yr hyn a'i bwydodd tra'r ydoedd yn fyw.
     Y mae iaith gwladychfa yn arbennig o werthfawr. Mynega
mewn ffurfiau clywadwy brofiadau dynion mewn oes arall, pan
wynebent ar amgylchfyd dieithr am y waith gyntaf. Gan fod y
siaradwyr eu hunain yn ddieithr i'w gilydd, yn hanu o wahanol
rannau o'u gwlad gysefin, roedd eu hiaith neu'r hyn a
ddatblygodd ohoni yn ganlyniad ymdoddi, ymaddasu, a newid
mewn ffurfiau ymadrodd. Ar ben hyn, os digwydd i'r iaith hon
orfod ymgynnal wedyn dan ddylanwad iaith a diwylliant arall,
ceir olion y dylanwad estron yn ei geirfa, ei chynaniad, a'i
chystrawen. Greddf anffodus ynom yw ystyried cyflwr cymysg-
ryw felly yn ddirywiad, oblegid nid dirywio y mae iaith, eithr

newid; o safbwynt ieithyddol, gradd bellach ydyw yn natblygiad
yr iaith, ac arwydd eglur o'r symbiosis rhyngddi a'r diwylliant
arall yn ei hamgylchfyd.

Wedi i'r Cymry gyrraedd a gwladychu, ychydig o'r hen enwau
Indiaidd (os oeddynt ar gael) a lynodd yn y Dyffryn. Yn ardal-
oedd yr Andes, ar y llaw arall, daliodd amryw o'u henwau ar
gymoedd, afonydd, llynnoedd, a mynyddoedd, yn fyw, ac yn
wybyddus. Efallai i Tehuelchiaid yr arfordir adael llai o'u hôl yn
y tir am fod eu bywyd mor grwydrol, a'r Dyffryn ond rhan fechan
o'u tiriogaeth. Dichonadwy hefyd i rai o leiaf o'r hen enwau ddal
hyd heddiw yn eu plith, fel crair nobl, a diwerth, yn perthyn i
oruchwyliaeth a beidiodd. Un ffaith sy'n sicr, fod gwladychu
llwyr a manwl y Cymry wedi gadael marc dyfnach, gan ysgubo
ymaith yn anesgor rai o'r enwau Indiaidd hŷn. Beth bynnag a fo'r
esboniad iawn, dim ond dau enw Indiaidd amlwg a erys; yr afon
Chupat neu Chubut, a'r Gaiman (y "Pentre Sydyn", chwedl yr
hen Gymry). Mewn cyferbyniad â hyn, sgrifennwyd hanes y
Gwladfawyr ar gledr llaw'r Dyffryn a'r Paith. Mam o'r Fintai
gyntaf, trwy esgor ar blentyn ar y ffordd rhwng Madryn a'r
Dyffryn, a roes ei henw i "Fryniau Meri." Tu hwnt i Hirdaith
Edwyn (a enwyd ar ôl Edwyn Roberts, arloeswr y ffordd honno
dros ddarn o'r Paith lle ni cheir dŵr am drigain milltir),
digwyddodd sgarmes rhwng yr Indiaid a'r Cymry ym 1871, a
dyna alw'r man wedyn yn "Ddôl-yr-Ymlid." Ar y daith gyntaf i'r
Andes, aed ati mewn un man i roi bedydd gwaed *guanaco* i'r
ymdeithwyr newydd, a dyna "Bant-y-Gwaed," enw mor ddram-
atig ar yr olwg gyntaf â "Dyffryn-y-Merthyron," lle lladdwyd
rhai Cymry gan yr Indiaid. Mae meddiannu o'r math hwn yn
bwysig yn hanes gwladychiad, nid yn unig am ei fod yn rhoi
stamp ar diriogaeth, tebyg i roi marc yr haearn ar ystlys anifail,
ond am fod yr enw, mewn cymdeithas glòs fel yr eiddo'r Wladfa,
yn sbardun cyson i'r chwedleuydd gadw'r hen hanes ar gof. Er
enghraifft, er i dros bedwar ugain o flynyddoedd fyned heibio
oddi ar i'r Cymry ddechrau teithio i gyfeiriad yr Andes, ac i'w
profiadau helbulus, digrif, neu drwstan, greu llu o enwau,
testun pleser a hwyl i ddau o hen ddwylo'r Paith ar ddechrau
blwyddyn newydd ym 1972 ydoedd medru dilyn y ffordd honno
yn eu sgwrs, a rhoi iddi'r hen enwau priod, gan adrodd hefyd sut
y cafodd mannau fel "Y *Gin* Bocs", neu "Bant-y-ffwdan" eu
bedyddio.

Nid anghofiodd y Cymry, yn eu hamgylchfyd newydd, eu

harfer o ddynodi lleoedd yn ôl eu hansawdd daearyddol. Sylwyd
eisoes ar rai o'r enwau ar drofeydd yr afon. Yr un gynneddf a fu
ar waith wrth roi enw ar bentrefi ac ardaloedd—dyna'r Lle Cul,
Tir Halen, Bryn Crwn, a Bryn Gwyn, er enghraifft, a chawn
sylwi ar yr un peth gydag amryw o'r ffermydd. Mae'n ddiddorol
iddynt deimlo nad oedd yng ngeirfa feunyddiol yr iaith Gymraeg
derm digonol ar gyfer y peth mwyaf dieithr yn eu profiad:
gallasent fod wedi ei enwi'n "ddiffeithwch" neu'n "anialwch"
(*desierto*, wedi'r cyfan, yw'r gair Sbaeneg amdano). Mynasant,
yn hytrach, gyda'r difrifoldeb a nodweddai rai o'u gweithred-
oedd, dynnu ar hen air llenyddol, ac arno fwy o sawr awdl
Eisteddfod nag o gegin ffermdy: *y Paith*. Y mae'r gair yn hen yn
yr iaith Gymraeg, a rhestrodd John Davies o Fallwyd ef yn ei
Dictionarium duplex (1632), gan ychwanegu'r ystyr *desertus*,
vastatus, ystyron a adleisir yn y gair *diffaith*. Ond dichon i
Eiriadur William Owen (-Pugh), a ail-argraffwyd ym 1832,
ychwanegu agwedd arall, sef "a prospect, a scene." Os felly,
gellir deall sut yr ymunodd y ddwy ystyr wahanol yma ym
meddwl y Gwladfawr wrth iddo fyfyrio ar y peithdir anferth, a'i
banorama o ddrain diddiwedd. Gwreiddiodd *y Paith* mor ddwfn
yng Nghymraeg y Wladfa nes disodli unrhyw air arall, cysefin
neu estron. Mae'n werth sylwi i'r Cymry roi enw Cymraeg, sef
"Camwy," ar yr afon, a hynny'n unol â syniadau ieithyddol y
cyfnod: *ŵy* yn golygu dŵr, a'r elfen *cam* i ddynodi fod yr afon yn
droellog (gan ei wneud yn wir yn enw hynod debyg i
"Camddwr"), ond er bod yr enw yn cael ei arfer o hyd, yn
arbennig mewn cyd-destun llenyddol, Chubut yw'r enw ar lafar
cyffredin—nid oedd, wedi'r cwbl, yr un hynodrwydd mewn afon
ag yn y Paith, a bu modd esgeuluso'r enw "Camwy."

Mae enwau lleoedd hefyd yn adlewyrchu goruchafiaeth bolit-
icaidd. New Bay (neu'r Golfo Nuevo) ydoedd yr enw blaenorol ar
y traethau lle glaniodd y *Mimosa*, ond fe'i trowyd toc yn Borth
Madryn, i goffáu nawddogaeth Love Jones-Parry, a'i gartref
nepell o Garn Fadryn yng Ngwlad Llŷn. Rhoddwyd yr enw Tre-
Rawson (Rawson bellach) ar sefydliad cyntaf y Wladfa (ac wedi
hynny prifddinas y Dalaith), i gofnodi cyfraniad Guillermo
Rawson, Gweinidog Cartref Ariannin, a gymerodd ran flaenllaw
yn y trafodaethau ynghylch y wladychfa newydd, ac yn y trefn-
iadau wedyn. Yn y pedwar-ugeiniau, gyda gorffen y rheilffordd
rhwng Porth Madryn ac Afon Chubut, bu raid chwilio am enw
i'r dreflan a ddechreuodd ddatblygu yn y gyffordd rhwng y

ffordd haearn a ffordd llawr y Dyffryn. Dewiswyd "Tre-lew" i goffáu gwaith Lewis Jones, y prif sefydlydd. A thybed hefyd nad oedd yma air mwys, sef "tref y rhai glew," gan fod glewder yn rhinwedd briodol i'w chysylltu â'r Wladfa? Ymhen blynydd-oedd daeth goruchafiaeth arall yn ei thro, gan ddisodli rhai o'r hen enwau. Trodd Tir Halen yn *28 de Julio,* a Chwm Hyfryd yn yr Andes yn *16 de Octubre,* ffurfiau sydd yn adlewyrchu diwyll-iant arall a thraddodiad arall o enwi. Ceir gwrthgyferbyniad diwylliannol cyfatebol o'r tu mewn i'r un fro yn y gwahaniaeth rhwng Pont Twm Bach a'r *Puente de San Cristóbal*; gwelir y ddau ar fap y fro, ond Twm, ac nid y Sant, sy'n perthyn i'r hen oruchwyliaeth.

Yn swyddogol, dynodid ffermydd y Dyffryn gan yr enw "Chacra Número Uno," ac yn y blaen. Ond ni allai'r Cymry ddygymod â'r fath anenwedd, a rhoisant ar eu cartrefi enwau a oedd at ei gilydd yn gyfuniad diddorol o hiraeth am a fu, a gobaith am y dyfodol. Y dosbarth mwyaf amlwg yw enwau'r hen fröydd neu ardaloedd: Bedlinog, Bryn Ogwen, Llyn Tegid, Pont-y-Meibion (cartref teulu'n hanfod o gyff Huw Morris, y bardd o Lyn Ceiriog), Tyddyn Ystwyth, Treorcki (bellach yn enw ardal). Tebyg y dynodai enwau eraill yr hen gartrefi yng Nghymru, er ei bod hi'n anodd bod yn siŵr: dyna Fryn Bela, er enghraifft, neu Fryn Banadl, neu Fryn y Myrtwydd. Yn wir myn-egai'r toreth o enwau Saesneg yn fwy huawdl yr hiraeth am wlad tu hwnt i'r gorwel: Gower Road, Hyde Park, Mount Pleasant, Garden Cottage. Ac weithiau ceir ynghlwm wrth yr enwau Anghymreig hyn wreiddyn o hiraeth am fro bur wahanol, Scotian Farm, Santa Fe, neu Brazil (o fendigedig goffadwr-iaeth!).

Dynodai amryw byd o enwau natur y fferm newydd: Bod Unig, Cae'r Berllan, Drofa Hesgog, Dyffryn Dreinog, Glan Dwrllwyd, Peach Park, Sandy Castle, Tŷ Zinc. Ceir hefyd lawer o enwau barddonol (neu farddonllyd!), amryw ohonynt yn mynegi agwedd arbennig at fywyd: Bryn Antur, Bod Eglur, Dinas Noddfa, Gobaith, Maes Egni, Plas Hedd (cartref cyntaf Lewis Jones). Mac tro bach digrif yng nghynffon ambell enw: Min-y-Don, Parc yr Esgob (cartref y Parch Abram Mathews) Trueni, Bedlwm, Books, Maesllaned (cartref y peiriannydd Edward Owen, enw sy'n ieuad anghymharus o'r rhyfygus a'r digrif), a Maes Comet, a enwyd ar ôl march enwog a llwyddiannus a fewn-foriwyd o Sir Aberteifi.

Mewn amgylchfyd estron, heb ddim ond lloriau pridd, waliau mwd, a thoeau zinc i'w noddi rhag y gwyntoedd nerthol, gallai enw fod yn gysur, neu'n sbardun, neu'n air rheg. Cadwyd rhai o'r enwau hyd heddiw (yn arbennig lle'r arhosodd y ffermydd yn nwylo'r Cymry), a throdd ambell un yn enw ardal. Fodd bynnag, diflannodd llaweroedd ohonynt, ond i'r graddau y cedwir hwy ar gof y to hŷn. Yn eu lle ceir enwau Sbaeneg—er enghraifft, yn Nolavon trodd yr hen "Bryn Glas" yn "Tres Casas," yn Esquel trodd "Hafn y Blodau" yn "Las Margaritas." Neu yn aml adferwyd y sustem swyddogol o roi rhif plaen y *chacra*. Dengys hyn gymaint estroni a fu ar ddiwylliant y Dyffryn, a chyda diflaniad yr hen enwau collwyd allwedd arall i'r gorffennol.

*   *   *

Yn y Wladfa estynnodd yr iaith Gymraeg ei phrofiad. Am y waith gyntaf oddi ar y Ddeddf Uno ym 1536 medrodd fynegi'r ymwneud swyddogol a ffurfiol rhwng dynion a'i gilydd. I'r diben hwnnw yr oedd gofyn creu termau technegol newydd, neu arfer hen rai mewn cyd-destun byw. A chan fod y gwladychwyr yn cyfarfod â phethau, amgylchiadau, a phobloedd dieithr, ymatebai'r iaith hefyd i'r her. Ond fel gyda phob peth arall yn hanes y Wladfa, gweld olion mawredd a wneir, yn hytrach na'r hen ogoniant.

Gwelir y llwyddiant ieithyddol, er enghraifft, yng Nghyfansoddiad y Wladfa, sy'n ddogfen glir a chryno; ac yn arbennig yn y Ddeddf Gweinyddiad Barn, a gyhoeddwyd gan William Davies, Llywydd y Wladfa, yn Hydref 1873. Roedd y ddogfen hon yn fwy o sialens, gan y corfforai yn y Gymraeg syniadau cyfreithiol na fuasai iaith a thermau Cyfraith Hywel Dda yn gymwys i'w mynegi. Mae'r testun yn frith gan dermau cyfreithiol manwl: *cynghaws* o'i wrthgyferbynnu â *trosedd, honwr* â *diffynydd, erlynydd* â *cyhudd;* y *Llys Athrywyn,* a ffurfid gan *Ynad y Wladfa* a'r swyddogion gweinyddol, ynghyd â Chadeirydd y Cyngor; a'r *Llys Rhaith,* a ffurfid gan Ynad y Wladfa a deuddeg, neu lai, o reithwyr. Amlwg na châi'r Gymraeg drafferth yn y byd i amlygu syniadau hanfodol y Gyfraith, a phetai'r Wladfa wedi cadw'i rhyddid gweinyddol a chyfreithiol (ynghyd â'i hiaith gysefin), datblygasai'r egin cyfraith yn gorpws cyfoethog. Fel hyn y canodd Elfai (Elvey)

Macdonald, un o feirdd y Wladfa heddiw, am y cyfnod creadigol, cyfoethog hwn:

> Fel yr helyg dan wyrddni dail Medi
> mae'r Gymraeg yn tywynnu:
> O'i gorsedd, lleisia hon gyfiawnder mewn llysoedd
> a llywia'n gwlad mewn llywodraeth:
> rhydd gynhesrwydd i'n haelwydydd
> a chyffry'n strydoedd ag anadl einioes.

Rhaid peidio ychwaith â gorddweud ynghylch llwyddiant yr iaith Gymraeg yn y byd swyddogol a gweinyddol. Mae'n wir y ceid ychydig o arweinwyr a chanddynt argyhoeddiad ynghylch y Gymraeg a'i swyddogaeth briodol yn y Wladfa. Dadleuwyd ei hachos gan D. Lloyd Jones mewn rhifyn o'r *Dravod* ym 1896, pryd yr oedd dylanwad Sbaenig yn dechrau treiglo i'r fro:

> Dylai fod yn gerfiedig ar gapan a dan ystlysbost drws pob swyddfa, ac ar rwymyn cwcwll pob swyddog . . . rybudd i'r perwyl a ganlyn:

> "Rhaid i bob cais a chwyn a datganiad ddelo mewn yma, a phob archiad a chyfarwyddyd a rhybudd elo allan, fod yn ysgrifen ac yn nhafodiaith y bobl."

Ond serch hyn, y pennaf gwir yw i'r Gymraeg ei chael ei hun yn fuan eto mewn sefyllfa debyg i honno y bu ynddi yng Nghymru. Wedi i'r iaith weithredu dros dro yn erfyn yn llaw'r Gwladfawr i lunio idiom cyfraith a gweinyddiad gwlad, troes unwaith eto'n forwyn fach i feistres estron, a'i swyddogaeth syml fyddai cyfieithu, er hwylustod y bobl, y pethau hynny a berthynai i lywodraeth ac i ddiwylliant gwlad Ariannin. Enghraifft ddiddorol yw'r modd yr awgrymodd y *Dravod,* mewn perthynas â gweinyddiad Cwmni Masnachol y Camwy, gyfieithiad ar gyfer y term "persona jurídica": "llysfod" oedd y term a fathwyd, ond pa mor Gymreig bynnag ei ddiwyg, ni ellir celu'r ffaith nad cyfraith y Cymry a ddehonglai, eithr cyfraith Rhufain yn ei ffurf Archentaidd.

Ym myd masnach ceir yr un cyferbyniad rhwng gwedd allanol hoyw a rhuddin cau. Ar y naill law ceid ymdrechion gan hysbysebwyr i lunio neu ddarlledu termau Cymraeg ar gyfer hyn ac arall: "medel-rwymydd,"   "gwair-fedel,"   "arlunfa," "darllawdy" (am le bwyta), dyma'r geiriau sy'n britho tudalennau'r *Dravod* yn niwedd y ganrif ddiwethaf. Ond sylwir ar y llaw arall ar luosowgrwydd yr hysbysebion Sbaeneg, a arwyddai fod y bywyd cyhoeddus Cymraeg ar drai hyd yn oed cyn diwedd y ganrif. Diddorol hefyd i ba raddau y defnyddid geiriau Saesneg am bethau cyffredin: "water melons, Maip Swedaidd, Cucumbers, Quinces," meddai un o hysbysebwyr 1899. Ac yn y flwyddyn flaenorol, mewn hysbysiad a ddarluniai'r llong, cyhoeddwyd fod y nwyddau canlynol newydd gyrraedd y porthladd o Gymru: "Drapery, Ironmongery, Grocery, Saddlery, a Chyffeiriau, etc., etc. Te yr Hen Wlad mewn tuniau 4 a 6 phwys." Yn y cyswllt hwn rhaid nodi grym yr arfer o fod yn eilradd—mwy naturiol ydoedd hi i barhau i synio am yr iaith Gymraeg fel cyfrwng anghyflawn, i'w defnyddio at rai pwrpasau'n unig, a chredu mai priod swydd y Saesneg, neu'r Sbaeneg, oedd llenwi'r bylchau.

Pan ymladdwyd brwydr yr iaith Gymraeg o ddifrif, ar ddiwedd y ganrif ddiwethaf a dechrau hon, nid syn o beth mai'r egwyddorion mwyaf amlwg yn yr ymgiprys ydoedd, ar yr un tu, y ddyletswydd o gadw a gwarchod y bywyd Cymreig, ac ar y tu arall, yr angen am ymdoddi i gymdeithas gwlad Ariannin. Fel y gwelwyd mewn pennod flaenorol, bu hefyd beth ymateb greddfol yn erbyn cais y Llywodraeth i sicrhau dysgu'r Sbaeneg yn yr ysgolion *nacionales*. Ond yn y diwedd anodd oedd osgoi rhyw fath o gyfaddawd, a gwelir hynny hyd yn oed ymhlith pleidwyr mwyaf brwd yr iaith Gymraeg. Er enghraifft, mewn llythyr i'r *Dravod*, ar achlysur Gŵyl y Glaniad ym 1898, galwodd J. S. Williams am ragor o ysgolion elfennol a dwy neu dair o ysgolion uwchradd, "canys dylai y to sydd yn codi ddysgu tair iaith, y Gymraeg, yr Hispanaeg, a'r Saesonaeg." Os yw'r ddadl econ-omaidd yn gryf yma, fe'i hadlewyrchir yn eglurach mewn erthygl bur wahanol ei safbwynt o dan y ffugenw "Gwrtheyrn." Amlwg fod yr awdur yn anelu at gadw'r ddysgl yn wastad cydrhwng y Gymraeg a'r Sbaeneg. Sylfaen dadl "Gwrtheyrn" yw'r frawddeg hon: "Os y cyll rhai ohonom ein neillduolion Cymreig, nid oes alw arnom hefyd golli ein dynoliaeth." Ond dadleua ar yr un pryd fod yr ysgolion *nacionales* yn llwyddo i ddysgu Cymraeg yn ogystal â Sbaeneg, ac yn wir yn gwneud mwy na'r rhieni i gadw'r iaith gysefin yn fyw. Gresynai hefyd fod "ein heisteddfodwyr wedi distewi a myned yn fudion; y cariad at ddefion Cymreig a

Cheltaidd wedi oeri." Ymateb yr awdur i'r dihoeni hwn yn y bywyd Cymreig ydoedd tristwch yn gymysg â'r argyhoeddiad fod y dyfodol yn nwylo'r Sbaeneg. Sylweddolai "Gwrtheyrn" hefyd yr elw a ddeilliai o'r berthynas newydd hon: "Myner y manteision a myner hefyd safle anrhydeddus yn y wlad."

Anodd dweud yn union pa bryd y collodd y Gymraeg y frwydr yn derfynol. Efallai i'r Rhyfel Byd Cyntaf fod yn fath ar ffin rhwng gobaith am achubiaeth, a'r argyhoeddiad o golli. Yn sicr, erbyn 1916, yn nodion "Yma a Thraw" yn y *Dravod*, ceir darlun athrist o gyfwng y Gymraeg,na wnaeth treigl y blynyddoedd dilynol ond ei ddwysáu: "Y mae yr addysg dderbynir gan y plant yn ein hysgolion elfennol, a'r mynych siarad yr iaith Ysbaeneg gyda'r Yspaenwyr, ac yn wir gyda'u gilydd, yn gosod Cymraeg ein pobl ieuainc mewn perygl o gael ei cholli, o leiaf fel iaith ysgrifenedig."

Eithr pa mor fyrhoedlog bynnag y bu cyfnod annibyniaeth yr iaith Gymraeg, parhaodd yn ddigon hir i gryfhau ei gafael ar fywyd bob dydd. Yn wir daliodd effeithiau hynny hyd heddiw, fel y gwelir yng ngeirfa'r bobl. Er gwaethaf dylanwad cryf diwylliant yr Ariannin, *llywodraeth* sydd ar lafar ac nid *gobierno*, *pennaeth* yw'r gair am ben tylwyth o Indiaid, *mintai* a ddefnyddir am nifer o bobl ar ymgyrch neu daith ("pobl y Fintai gyntaf," neu "mintai ar ei ffordd i'r Andes"), *masnachdy* neu *tŷ masnach* a glywir yn aml, term a gadwyd i raddau oherwydd arfer y gair *negocio* yn Sbaeneg am siop. Yn yr un modd, daliwyd at rai o dermau technegol Cymraeg bywyd y Dyffryn, *melin flawd* a *melin wynt, camlas, argae* (ond yn amlach *dique), ffos* (yn arbennig y ffurf dafodieithol *ffoes*, fel yn "y Ffoes Gefn"), ac wrth gwrs *dyfrio*. Arwyddocaol iawn yw cadw'r arfer o roi dyddiadau'n gywir yn Gymraeg, "mil wyth gant saith deg saith," ac yn y blaen, arfer sydd yn awgrymu gafael addysg Gymraeg hyd yn oed wedi rhai cenedlaethau. Yn wir, gellid honni fod Cymraeg y Wladfa'n gyfoethocach, ac yn ablach i ddelio â bywyd beunyddiol, na Chymraeg Cymru'i hun. Yn hyn bu pellter y Wladfa, a'i hannibyniaeth, mewn ffaith, onid yn ôl y ddeddf, yn help mawr, a chan ei bod yn boblogaeth fechan, gallai hyd yn oed derm newydd dreiddio ymhell—er enghraifft, ceir *awyrlong* neu *long awyr* ar lafar yn gyffredin, er iddynt gyrraedd o Gymru rywbryd wedi 1911, pan oedd y Gymraeg yn y Wladfa eisoes ar drai. Ac mewn cymdeithas lle ni cheid dylanwad andwyol y radio a'r teledu, a lle ni ddarllenid fawr ar bapurau newyddion, cadwodd y cyfoeth ieithyddol ei rym.

Golygodd natur wahanol y ffermio a'r confensiynau gwahanol o fesur y tir eirfa newydd. Tueddid i fesur mewn *leguas* yn hytrach na chilomedrau, a daliodd yr arfer mewn grym: *lig (ll. ligoedd)* yw'r gair Cymraeg, ac fe'i defnyddir nid yn unig i ddynodi tair milltir, ond hefyd dair milltir sgwâr. Am ddarnau llai o dir defnyddir *hectáreas* yn hytrach nag *aceri* neu *erwau:* a cheid hefyd y Cymreigiad *hecterw.* Ar y mynegbyst, wrth gwrs, ceir *kilómetros,* a arferir hefyd ar lafar, ond clywir weithiau *cilomedrau* ("dwy gilomedr"), er nad mor aml â *ligoedd. Mitar* a ddefnyddir am y Sbaeneg *metro,* gyda'r lluosog Seisnigaidd *mitars.* Pan fesurwyd y tir, fe'i rhannwyd yn ddarnau cyson gydag ymylon syth, yn *cuadra* bob un, sef yn Gymraeg *sgwâr,* gair a ddefnyddir hefyd am ystyr arall *cuadra,* un o'r blociau rheolaidd ym mhatrwm dinas neu dref yn yr Ariannin ("mae o'n byw ddwy sgwâr i fyny"). Defnyddir *kilo* ar gyfer pwyso, ond sonnir hefyd am *bwysi* a *tunelli.*

Nid oedd cnydau'r Dyffryn yn wahanol i gartref, gydag un eithriad, yr *alffalffa* (neu *alfalfa),* er yn fynych iawn sonnir am hwn yn syml fel *gwair.* Aeth dau air Sbaeneg cadarn yn rhan o eirfa'r Wladfa: *corral,* hynny yw buarth, ynghyd â'r ferf gyfatebol *corralio;* a'r gair *galpón,* sy'n cael ei arfer yn hytrach nag ysgubor, lle a ddefnyddir hefyd ar gyfer adloniant teulu, neu gymdogaeth. Ni sonnir fawr am y dafarn, ond ceir ambell *boliche* sy'n gwerthu gwirodydd meddwol, un o sefydliadau pwysig bywyd y *gaucho.* Nid yw perth neu glawdd mor nodweddiadol o ffermydd ar dir gwastad, agored, ac aeth y gair *ffens* a *ffensio* yn hanfodol.

Galwai bywyd y Paith yn yr un modd am rai geiriau newydd. Y prif derm ydoedd y *camp,* y man lle bydd dynion yn gweithio, neu yn ffermio, neu yn byw, ar y Paith ("mae ganddo le ar y camp," neu "mae'n dod o'r camp ddydd Iau," neu "byw ar y camp"). Un o'r geiriau Anglo-Archentaidd yw hwn, er ei fod yn wreiddiol yn gyfieithiad o'r Sbaeneg *campo,* yn golygu gwlad agored. A than ddylanwad hyn, efallai, y daeth *camping* i ddynodi y man lle bo dyn dros dro yn *gwneud nos* (cyfieithiad llythrennol o *hacer noche).* A chan fod y camp yn aml mewn darn o'r Paith lle ceir *ffynnon* neu *pozo* (arferir y gair Sbaeneg

Elias Garmon Owen

yn fwy na *pydew),* gwelir yno y *felin wynt* a'r *tanc* i ddal y dŵr ar
gyfer yr anifeiliaid. Weithiau ni cheir gwersyllfan neu gamp
ffurfiol, ond lle syml i fyw o gylch y tanc, a dyna'r lle i *radicar,*
bwrw'ch gwraidd megis i ddaear y peithdir. O'r fan hon yr â'r
gaucho allan at ei waith beunyddiol, ac os bydd rhaid, fe gaiff ei
groen dafad yn wely, a'r *lona* neu *carped* (sef darn o darpaulin)
yn *gafnas* drosto. Clywir hefyd y gair Indiaidd am flanced, sef
quillango. Weithiau erbyn y bore, fe fydd yr anifeiliaid wedi
crwydro, a bydd gofyn *tracio,* sef dilyn eu *traciau. Gêr* fyddai
gan eich ceffyl, yn cynnwys *cyfrwy* neu *recado,* a *gwartholion,*
ond *sinsh* o gylch bol y ceffyl yn hytrach na chengl. Ceir y gair
cinch yn Saesneg yr Unol Daleithiau, a gallasai ddod i'r Wladfa
gyda'r *norteamericanos* a fu ymhlith y Gwladfawyr
cynnar—neu, fel *cinch* ei hun yn Saesneg America, gallasai ym-
ffurfio'n annibynnol fel cyfaddasiad o'r Sbaeneg *cincha.* Sonnir
fynychaf am *trŵp* o wartheg, a thybed ai gair Anglo-
Archentaidd arall yw hwn? Defnyddid y gair o hyd yn yr ystyr
hon yn Saesneg Lloegr yn y ganrif ddiwethaf, ond dyma hefyd
derm rheolaidd yr awdur Anglo-Archentaidd W. H. Hudson, er
enghraifft, wrth gyfeirio at ddiadelloedd y *pampa,* a thebyg i'r
arfer o ddefnyddio *tropa* yn Ne America gyda'r un ystyr, gryf-
hau'r duedd i'r Anglo-Archentwr (boed Sais, neu Gymro) sôn
am *trŵp.*

Y tebyg yw y byddai gennych *ddryll* (neu *rifle,* gyda'r cynaniad
Saesneg), neu *llawddryll,* ar gyfer hela a hunan-amddiffyn, a
mantais fawr fyddai gwybod sut i daflu'r *lazo,* a defnyddio'r
bolas, hynny yw *boleo* (ffurf Gymraeg ar y Sbaeneg *bolear).*
Petaech yn mynd ar goll, neu'n dod o hyd i anifeiliaid a aeth i
grwydro, gallech *wneud señas,* sef rhoi arwydd wrth gynnau *tri
mwg.* Ac ar ddiwedd y dydd, beth allai fod yn brafiach nag
eistedd o gylch y tân, a bwyta'ch cig rhost? Hyn yw'r *asado* (y
gair Sbaeneg am rywbeth wedi'i rostio), yn ei ffurf Gymraeg,
asáw, lle addaswyd y terfyniad i batrwm Cymreig. Aeth yr arfer
a'r gair yn rhan naturiol o fywyd cymdeithasol y Dyffryn yn
ogystal â'r Paith. Ac yn yr un modd ag y ceid cyfran-dalwyr yn y
cwmnïoedd dyfrhau neu ddyrnu yn y Dyffryn, roedd yn arfer ar y
Paith i gymryd *socio,* hynny yw "mynd yn *socio* hefo rhywun,"
gan rannu'r anifeiliaid a'r eiddo arall, a phob un felly yn cael ei
share, neu'i *acción* (hynny yw, ei gyfran-daliad). Digon tebyg y
gwnaech hyn gyda rhyw *vecino,* gair a glywir yn fwy mynych

erbyn hyn na *cymydog,* adlewyrchiad debyg iawn o'r dylifiad pobloedd estron, gan i'r cymydog olygu llawer ym mywyd cymdeithasol y fro tra parhaodd grym traddodiad cydweithrediad.

*   *   *

Beth am ymateb y Gymraeg i wlad ac ynddi greaduriaid a phlanhigion gwahanol? Lle ceid cryn debygrwydd gellid arfer term a arferid yng Nghymru, a lle ceid o leiaf gyfatebiaeth, neu nodweddion cyffelyb, gellid cymhwyso hen air at ffenomen newydd. Ond lle ni cheid na chyffelybrwydd na chyfatebiaeth, rhaid oedd bathu term newydd, neu ddefnyddio gair o iaith arall. Cawn ddechrau felly gyda'r tyfiant, a sylwi wedyn ar greaduriaid, ac yn olaf ar yr adar.

Ni cheid amrywiaeth newydd yn nhyfiant y Dyffryn—naturiol oedd galw'r prennau ar hyd yr afon yn *helyg,* a defnyddiwyd *poplwydd* (bellach, *álamos* fwyaf neu *coed poplars),* am y poplys a blannwyd yn rhesi sythion. *Drain* oedd y gair amlwg, os anfanwl, am lawer o'r tyfiant yn y Dyffryn, a hwnnw hefyd oedd y gair amlwg ar gyfer yr amrywiaeth ohonynt ar y Paith. Eithr nodid hefyd rywogaethau arbennig: *celyn y bryniau,* o liw melyn, a ddefnyddid at *godi mwg* fel arwydd; *y ddraenen lwyd (zampa,* neu *piquillín)* sy'n dwyn eirin; a'r *goron ddrain,* twmpath isel ac iddo bigau llym, sy'n dwyn ffa a fedr dorri'r syched. A dyna'r *celyn bach,* a ddisgrifiwyd yn ardderchog gan Iâl mewn englyn a sgrifennwyd yn Awst 1941:

> Lwyn dreinog, lawn dy riniau—hen loriwr
>   Doluriau a heintiau;
>   Fferyllfa rad ein tadau;
>   Ffrwyn poen, pencyffur ein pau.

Aeth y *celyn bach* i mewn i iaith Sbaeneg y Dyffryn, sef *el quelinbái,* un o'r ychydig iawn o enghreifftiau o ddylanwad uniongyrchol y Gymraeg. Ar y llaw arall, defnyddiwyd yn y Gymraeg amryw o'r enwau Sbaeneg neu Indiaidd am blanhigion a choed—dyna'r *algarrobo* (y pren carob, y bwytâi Ioan Fedyddiwr ei ffrwyth yn yr anialwch), a ddefnyddir ar y Paith i gynnau tân; a'r *jarilla,* planhigyn ac iddo ddeilen a sglain iddi, y gellir ei ddefnyddio er mwyn cael ffeindio'r ffordd, neu *orientar.* Yn yr

Andes lle ceid llu o blanhigion dieithr, aeth y gair Sbaeneg
amdanynt i'r eirfa Gymraeg. Y mwyaf amlwg ydoedd y *Berberis*
(a rhoi iddo'i enw Saesneg neu Ladin), ffrwyth melys, tebyg ar yr
olwg gyntaf i eirin gwyllt, a adnabyddir fel *calafat* (yn Sbaeneg,
calafate), gyda'r ffurf luosog Seisnigaidd *calafats;* fe'u hadnab-
yddir hefyd fel *eirin perthi.* Ond y cynaniad Sbaeneg a roir i lwyn
arall tlws odiaeth, y *mutisia* sy'n tyfu'n bingad yn Esquel.
Rhyfedd meddwl mai gair Saesneg, *strawberries,* a ddefnyddid
gan y Gwladfawyr cyntaf yn yr Andes i ddisgrifio'r mefus
gwylltion a dyfai yno mewn digonedd.

Ymdebygai llawer o'r anifeiliaid i'w cymheiriaid yn yr Hen
Wlad. Dyna'r *gwningen,* a'r *ysgyfarnog*—er bod y *liebre
patagónica* yn wahanol i'r un Ewropeaidd. Ceid *llwynog* hefyd,
er ei fod yn llai o faint nag ym Mhrydain. Ac yn yr Andes ceid y
*mochyn gwyllt (*neu'r *jabalí),* a adwaenid gynt yng Nghymru fel y
baedd coed. Ceid ar y Paith ddau anifail pur ddieithr—y cyntaf,
y *guanaco,* gair Sbaeneg ond o darddiad Indiaidd, am yr anifail
crwydrol hwnnw, perthynas i'r *llama,* a oedd yn nodweddiadol
iawn o beithdiroedd Patagonia. Dyma driban i'r creadur
hwnnw, a luniwyd ynghylch rhyw "Sais penuchel" a ollyngodd
sawl ergyd at wanaco ar y Paith, "ac yn ei tharo bob cynyg, bid
siwr":

> Peth od yw gweld gwanaco,
> Ar hyd y lle'n waco;
> A deuddeg ergyd yn ei chroen,
> Heb unrhyw boen i'w blino.

A'r ail greadur oedd y *piwma,* neu'r *llew,* a drigai yn yr anialwch
ac yn y mynyddoedd. Diddorol i'r Cymry ddewis y cynaniad
Saesneg yn hytrach na'r un Sbaeneg [pwma], ond yma hefyd gair
Indiaidd ydyw, yn tarddu o'r iaith *quechua.* A cheid ar lawr y
Dyffryn un creadur bach mwy cartrefol, ac annwyl, y *ctenomys
Brasiliensis.* Mae hwn yn byw yn y ddaear, ond yn dod allan yn
nes at yr wyneb yn y nos er mwyn cael ymborthi ar wreiddiau'r
planhigion. Enw onomatopaeaidd a geir arno yn y Sbaeneg a'r
Gymraeg fel ei gilydd, *el tucutuco,* a'r *dwcwdwc*—fe'i gelwir
felly oherwydd y tebygrwydd i'r sŵn o'r eiddo a glywir trwy'r
haenen o bridd rhyngddo a'r awyr iach. Awgrymwyd hefyd fod

yr enw Y Drofa Dulog yn cynnwys Cymreigiad ar y gair *armadillo,* damcaniaeth ddigon posibl.

Yng ngwlad Ariannin, hawdd credu yn *le luxe de Dieu,* ac ni ymdeimlir yn unlle yn fwy â'r afradedd honno nag ym myd yr adar. Maent yno ymhob man, yn sefyll yn fud, yn crawcian, neu yn canu, eu hosgo'n garedig, neu fygythiol, neu ddigrif. Yn naturiol gwelodd y Gwladfawyr amryw nad oeddynt yn adnabyddus ym Mhrydain. Dyna'r *carancho,* er enghraifft. Ni cheir mewn llenyddiaeth ddarn mwy *macabre* na disgrifiad Darwin o fwlltwr anialdiroedd Patagonia:

Yn anfynych y bydd y ffug eryrod hyn yn lladd aderyn neu greadur byw; ac y mae'u harferion o fwyta cig y meirw yn amlwg iawn i'r neb a syrthiodd i gysgu ar anialdir diffaith Patagonia, oherwydd pan fydd yn deffro, gwêl ar bob bryncyn o'i gylch, un o'r adar yma'n ei wylio'n amyneddgar â'i lygad dieflig.

Rhoddai'r *tero,* ar y llaw arall, argraff fwy llon o fywyd yr adar, ac oherwydd ei ffordd neilltuol o hedeg, fe'i bedyddiwyd hi'n *gornchwiglen.* Twmblant yn heidiau drwy'r awyr, eu cri cyson, cras, yn eu gwneud yn annerbyniol yng ngolwg yr heliwr, am eu bod yn rhybuddio pob creadur arall fod gelyn yn dynesu; ond am yr union reswm maent yn dderbyniol iawn gan y ffermwr, sy'n gwybod (gyda'r un sicrwydd â phetai'n clywed sŵn troed) fod rhywun yn dynesu at ei dŷ ar hyd y lôn ddirgel.

Nid oedd angen ail-enwi'r adar a oedd yn hen gydnabod, fel y *wennol (golondrina),* yr *ehedydd (alondra),* yr *wylan (gaviota),* *aderyn y to (gorrión),* a'r *alarch (cisne),* neu *arlach* yn aml ar lafar. Gyda'r tylluanod, cafwyd datblygiad semantig diddorol. Gan fod y Cymry'n hanfod o Ogledd a De, roedd ganddynt ddau air gwahanol am yr aderyn hwn, sef *tylluan,* a *gwdihŵ.* Yn y Wladfa dechreuwyd cymhwyso'r termau hyn at ddau aderyn a berthynai i'r un teulu, ond a oedd eto'n wahanol i'w gilydd o ran maint ac arferion—y *lechuza* yw'r *gwdihŵ,* a'r *lechuzón,* sy'n fwy ei faintioli na'r llall, yw'r *dylluan.*

Ceid amryw o adar hela: y *martineta* a alwyd yn *betrisen,* y *pato silvestre* yn *(ch)wyad wyllt;* a'r *avutarda* a adnabyddid fel *gŵydd wyllt,* disgrifiad anfanwl, gan fod yr aderyn hwn yn perthyn i deulu'r *bustard,* sef y werniar. Dyna'r *bandurria*

hefyd, yr *iâr dir,* er bod yr adarwr W. H. Hudson yn ei chysylltu
yn hytrach â'r garan, gan mai *great blue ibis* yw ei air yntau
amdani. Ac yna, ceid ei chymar o ran enw, y *gallareta,* sef yr *iâr
ddŵr.* Ond ceid ar y Paith yn arbennig ddau aderyn nodedig. Yn
gyntaf, yr *estrys,* sef y *rhea,* ffurf De America ar y creadur
Beiblaidd a hirheglog hwnnw, a fu'n helfa boblogaidd gan wŷr y
dryll a'r *bolas.* Ac yn ail, cyfaill Darwin, sef y *carancho, barcud
(glas)* neu *barcutan (ll. barcutod),* term sy'n gywirach na'r
Saesneg *vulture* amdano, gan mai math o *carrion-hawk* ydyw,
yn ôl W. H. Hudson. Yn yr Andes hedai'r *cóndor,* y gair a ddefn-
yddir yn y Sbaeneg a'r Gymraeg fel ei gilydd, ac sydd yn tarddu o
cuntur, gair Indiaid Periw amdano. Hwn yw brenin fwlltwriaid y
byd, a'r hyd ar draws ei adenydd yw un droedfedd ar bymtheg.
Ceir disgrifiad huawdl ohono gan Eluned Morgan yn *Dringo'r
Andes:*

> Mae ei blu mor ddu â chysgod y mynydd yn y nos, a choler o
> fân-blu gylch ei wddf cyn wynned ag eira'r mynydd ar lawn
> lloer. Mae ei lygaid fel sêr y bore'n machlud, a gwrid y wawr o
> dan bob ael; ei big yn bedair modfedd o hyd, ac fel ellyn dau-
> finiog.

Nid yw'r braslun hwn namyn yn codi cwr y llen ar gyfoeth
geirfa Gymraeg y Wladfa. A rhaid cofio un ffaith ychwanegol:
cadwodd yr iaith dermau ac ymadroddion ar dir y byw wedi
iddynt edwino a diflannu yng Nghymru dan ddylanwad diwyll-
iant estron a ffordd fwy modern o fyw. Y peth tristaf yw fod
cynifer o'r geiriau hyn yn rhwym o droi'n "anghofiedig,"
chwedl Waldo Williams yn un o'i gerddi, nid yn unig oherwydd i
dermau Sbaeneg gymryd eu lle, ond am fod siaradwyr yr iaith
gyfoethog hon yn marw o un i un.

                    *   *   *

Sut Gymraeg sydd gan Gymry'r Wladfa? Cwestiwn anodd ei
ateb, am fod iaith yn cynnwys cynifer o agweddau, yn ffurfiant
a datblygiad, gramadeg a chystrawen, cynaniad, rhuthm a
goslef, heb sôn am amrywiaeth geirfa. Ac y mae gan bob dyn ei
iaith bersonol ei hun, a chan deulu a chymdogaeth eu
nodweddion ieithyddol pendant. Gwahana iaith hefyd yn ôl

cenhedlaeth, a galwedigaeth. Nid ar chwarae bach, felly, y dylid
astudio unrhyw iaith, gan ei fod yn bwnc sy'n gofyn am amynedd
a thrylwyredd. Trueni mawr yn wyneb hyn yw i Brifysgol Cymru
fethu â darparu'n gyson a helaeth ar gyfer ymchwil o'r fath. Yr
amcan syml yn y bennod hon, felly, yw taflu arolwg fras, a dim
rhagor, gan awgrymu, yn hytrach na haeru.

Datblygodd Cymraeg y Wladfa yn annibynnol, mewn am-
gylchfyd gwahanol, a than ddylanwadau gwahanol, am dros gan
mlynedd, cyfnod digon hir i sicrhau cyfnewidiadau pendant.
Mae'n wir y cadwyd yno gysylltiad â Chymru, ac i fintai ar ôl
mintai ymfudo, ond ym 1911 y bu'r ymfudiad pwysig olaf, ac
oddi ar hynny achlysurol a bylchog fu'r berthynas, ar wahân i
drwy lythyrau, papurau newydd, a chylchgronau. Yn y cyfamser
tyfodd dylanwad y Sbaeneg, yn arbennig trwy broses addysg.

Ar y cyntaf dysgid yn yr ysgolion trwy gyfrwng y Gymraeg
(gyda pheth Saesneg), ond erbyn 1898 rhagwelai'r Llywodraeth
fod angen Sbaeneiddio'r Wladfa er mwyn ei hennill i'r Ariannin,
ac yn y flwyddyn honno cyhoeddodd y Milwriad O'Donnell,
dirprwy-Raglaw Chubut, y bwriadai ddileu pob nodwedd
Gymreig o ysgolion y Wladfa. Bellach byddai rheolaeth yr
ysgolion yn nwylo'r Llywodraeth, ac o dipyn i beth llwyddodd ei
pholisi. Bu rhai o'r athrawon cenedlaethol cyntaf yn dysgu, ac
yn siarad, peth Cymraeg yn yr ysgol, ond gyda threigl yr amser
gafaelodd yr iaith swyddogol yn dynnach. Adlewyrchir y dat-
blygiadau hyn yn glir yn sefyllfa ieithyddol amrywiol gwragedd y
Wladfa—bu'r *servicio militar* yn foddion dysgu Sbaeneg i'r gwŷr,
ac ni nodir ynddynt hwy yr un raddfa o wahaniaeth. Ym 1971
ymhlith gwragedd dros eu deg a thrigain oed ceid amryw heb
fawr ddim gwybodaeth o'r Sbaeneg. O dan yr oedran hwnnw
cyflym braffai'r gafael ar yr idiom newydd. Darluniodd R. Bryn
Williams ganlyniadau'r polisi addysgol gwrth-Gymreig: "ei
thuedd oedd peri i ni'r plant gywilyddio oherwydd ein perthynas
â Chymru." Ac ar ben hyn parai cenedlgarwch cryf gwlad
Ariannin i'r Gwladfawr deimlo mai i Buenos Aires y perthynai
pob teyrngarwch. Ond yn y diwedd y cyfrwng mwyaf effeithiol i
Sbaeneiddio'r Dyffryn ydoedd dylifiad pobl "estron." Deil yr
hen bobl i gofio'r adeg pan oedd y brodorion fwy neu lai i gyd yn
Gymry, a sonnir am ambell Eidalwr yn cadw siop yn y Gaiman,
neu hyd yn oed yn Nhrelew, ac yn dysgu peth Cymraeg er mwyn
hwylustod masnachol. O dipyn i beth, rhwng y mewnforiad pobl

a nerth y diwylliant Archentaidd, Sbaeneiddiwyd bywyd trefi fel
Rawson a Threlew, a hynny erbyn diwedd y Rhyfel Byd Cyntaf, a
barnu wrth dudalennau'r *Dravod*. Fodd bynnag, daliodd gafael
y Gymraeg yn yr ardaloedd gwledig am hir wedi hynny, yn
arbennig yn y Gaiman a'r cylch. Yno, daeth y newid mwyaf gyda
rhannu'r   tiroedd   a   gwerthu'r   ffermydd   am   resymau
economaidd, a daeth cyfle felly i bobl estron feddu'r rhannau
gwledig, nes y boddwyd yr elfen Gymraeg yn y deng mlynedd ar
hugain diwethaf, gan adael ohoni ddim mwy nag ambell ynys
unig ar ganol y llif.

  Ymateb cyntaf y gwrandawr o Gymru wrth wrando ar
Gymraeg Gwladfawr yw credu fod y siaradwr yn hanfod o dop
Sir Aberteifi, neu waelod Sir Drefaldwyn. Ond sylweddolir toc
fod yr iaith yn real lobscows o Dde a Gogledd, ac y ceir hefyd
nodweddion datblygiad cwbl unigol. Naturiol i'r Gymraeg
gynnwys ynddi elfennau cymysgryw, gan mai cymysgedd felly
oedd y boblogaeth gynnar. Eto gallesid disgwyl mwy o flas y cyw
yn y cawl. Er gwaethaf yr elfen gref o *Hwntw* (sef "pobl y
Sowth") ymhlith y minteioedd cyntaf, ni cheir dylanwad deheuol
cryf. Iaith y Gogledd piau hi, o safbwynt geirfa. Mewn ardal fel
y Gaiman neu Dreorcki, lle'r oedd y rhan fwyaf o'r Gwladfawyr
yn dod o'r Sowth, ceir mwy o eirfa ddeheuol, a chlywir yno o
bryd i'w gilydd ambell galedu cytsain ("rwyn cretu," "weti'ny,"
ac yn y blaen), neu ambell ymadrodd o'r Sowth("'ta p'un," er
enghraifft); ond hyd yn oed yn y fan honno deil y wedd gyffred-
inol yn ogleddol. Paham hyn? Gellir gwneud ambell awgrym.
Yn gyntaf, y posibilrwydd i darddiad gogleddol rhai o'r prif
arweinwyr (Lewis Jones, Richard Jones Berwyn, Llwyd ap Iwan,
William Davies, ac yn y blaen), ac amryw o'r gweinidogion
cynnar, greu iaith "safonol" a oedd yn ogleddol. Yn ail, y ceid
rhagfarn yn erbyn iaith y Sowth, yn yr un modd ag y ceid ymhlith
y newydd-ddyfodiaid o siroedd gorllewin Cymru ragfarn yn
erbyn Gwenhwyseg Cwm Rhondda neu Gwm Cynon. Clywir hyd
heddiw yn y Wladfa straeon am bobl a gredai mai Saesneg oedd
iaith yr *Hwntws* yma (yn wir dyna *oedd* iaith rhai ohonynt), a
chadwyd ar gof ambell hanesyn doniol amdanynt. Cofiai Mrs.
Iorwerth Williams, Trelew, er enghraifft, am y dryswch digrif a
achosai ymadroddion ei mam, a hanai o ardal Pont-y-pridd:
"Gwetwch mod i weti mynd abothdu," meddai hi, a phobl yn
methu â'i deall! A phan ddirmygir iaith, tuedda'r siaradwr i'w

newid a'i haddasu; a bydd ei blant yn fwy sicr o glosio at norm y gymdeithas. Yn y ffordd honno, efallai, y lledodd dylanwad y Gogledd. Ond waeth beth am farn y rhelyw o'r Gwlad-fawyr, ni allent osgoi dylanwad y Sowth yn llwyr. Aeth rhai ymadroddion deheuol yn rhan o iaith pawb: *pallu* yn lle gwrthod, sôn am *dantio* a *taclu,* anghofio'r gwahan-iaeth rhwng *medru* a *gallu* gan ddefnyddio'r ail yn unig, dweud *sefyll gyda* yn hytrach nag *aros gyda* wrth sôn am letya, pobi'r bara yn y *ffwrn* yn lle yn y *popty.* A chlywir weithiau ymadrodd lliwgar fel "acha whew" (= ar oleddf), hoff ateb y Monwyswr Lewis Jones, ar ôl i'w iechyd ymollwng, wrth bobl a holai sut y teimlai. A chan fod traddodiad teulu'n cyfrif llawer yn ffordd dyn o siarad, nid yn anfynych y clywir ar dafod leferydd ambell Wladfawr, dôn, neu aceniad, neu air, sy'n tystio i gysylltiad yn rhywle â'r Sowth, fel petai rhyw chwa dyner o "swît 'Berdâr" wedi chwythu ar draws môr Iwerydd.

Eithr, fel y dengys ffurfiau fel "hefo," "daru iddo," a geiriau fel "moedro," "yn syth-bin," "cyw ebol," ac yn y blaen, y Gogledd piau hi. Yn wir, mewn ardaloedd fel y Bryn Gwyn, lle mae'r Gymraeg yn fwy gogleddol na thros yr afon yn y Gaiman (rhyw ddwy neu dair milltir i ffwrdd), gellir profi cyfoeth a grym ymadrodd yr iaith a ddug yr ymfudwyr i'w bro newydd. Ac mewn cyferbyniad, tybed ai tlodi ieithyddol cymharol yr ymfudwyr o gymoedd glofaol De Cymru (gan gynnwys pobl o ardaloedd fel Tredegar, heb ddim, neu ychydig iawn o Gymraeg) sy'n esbonio i raddau mai cefn gwlad Arfon a Phowys a Phenllyn a roes addurn ac urddas ar yr ieithwedd, gan gadarnhau'r dyb ymhlith y Deheuwyr mai honno oedd yr iaith safonol? Yn sicr gall yr hen Wladfawyr hynny sy'n dal i siarad eu priod iaith ymfalch'io fod ganddynt yr afael sicraf ar y Gymraeg goethaf a siaredir mewn unrhyw ran o'r byd.

Datblygodd yr iaith rai nodweddion arbennig. Soniais am un neu ddwy eitem eisoes, a gellid ychwanegu pethau bach fel yr an-sicrwydd ynghylch y sain aits (*hinc* yn lle *inc, efyd* yn lle *hefyd),* tuedd a gryfhawyd, debyg iawn, gan y ffaith mai iaith lafar ac nid iaith lyfr yw eiddo llawer o'r siaradwyr. Ac efallai mai nodwedd ddeheuol ydyw yn y lle cyntaf, gan ei bod yn un o hynodion amlwg iaith Morgannwg. Ceir yn ogystal nodweddion pwysig eraill a erys yn ddirgelwch i bawb ond i'r ieithyddwr a'r seinegydd: ansawdd y sain *l,* y duedd i siarad mewn byrlymau

sydyn, a chyda rhai siaradwyr, i godi'r *pitch* i ryw wich uchel a
thoriad llais, fel petai nwyd ddisyfyd wedi gafael ynddynt.

Tystia'r gwahaniaethau mawr yn ffordd o siarad y gwahanol
genedlaethau i effaith gynyddol yr iaith Sbaeneg. Hyd yn oed
ymhlith yr hynaf o siaradwyr heddiw (heblaw iddynt ddod i'r
Wladfa yn bobl mewn oed, neu dreulio blynyddoedd yng
Nghymru yn ddiweddarach) gellir dirnad—gydag ambell
eithriad—ryw dinc Sbaenig, yn union fel pe clywid ar ganol
cynghanedd fawreddog symffoni ryw un nodyn a berthynai i
fiwsig arall. Tueddir i gynanu'r geiriau yn y modd Sbaenig, gyda
phob sill yn cael yr un pwys a mesuriad, fel ergydion yn dod
allan o wn, un ar ôl y llall. Ar wahân i'r nodweddion hyn, y
manion yn unig a nodir yn y genhedlaeth hŷn: benthyca o'r
Sbaeneg y geiriau *¿no?* neu *¡eh!,* neu *¡bueno!* fel geiriau llanw ar
ganol brawddeg, fel y bydd y Cymro'n dweud *wel.* Ac yn
arbennig ymhlith y rhai a dreuliodd dipyn o'u hamser gyda'r
Lladinwyr, yngenir gair bychan o syndod, *¿como no?,* neu *así,
no más* (yn llythrennol, "dyna'n union").

Ymhlith pobl hanner cant oed a llai (onibai iddynt fyw ar
ddidol oddi wrth y gymdeithas Sbaeneg) cynydda'r elfen Ladin-
aidd. Am y waith gyntaf sylweddola'r ymwelydd fod hon yn ben-
dant yn iaith wahanol i Gymraeg Cymru'i hun. Praffodd yr holl
dueddiadau estron y cyfeiriwyd atynt, a chlosiodd arferion
ynganu *argentino* a Chymraeg at ei gilydd. Rhaid pwysleisio nad
yw'r canlyniad yn anhyfryd: yn hytrach mae iddo ei swyn
arbennig. Ac er i acen yr iaith newid yn ddirfawr, nid amharwyd
fawr ar ansawdd y gystrawen na'r eirfa. Yn hyn o beth gwelir
cyferbyniad diddorol i'r hyn sy'n digwydd yn y darnau o Gymru
sy'n colli'u hiaith: yma, pan fo'r Gymraeg dan ddylanwad
estron, cedwir purdeb yr acen, ond gogwyddir yr iaith (yn
dreigladau, cystrawen, a geirfa) i gyfeiriad y Saesneg; yn y
Wladfa ar y llaw arall, a siarad yn fras, deil cyfoeth yr idiom i
fyrlymu, er gwaethaf y cyfnewid yn y modd o lefaru—mae fel
gwrando ar hen gân yn cael ei chanu gan ddatgeinydd gwahanol.
Paham y gwahaniaeth rhwng y ddwy sefyllfa? Efallai y gellid ei
briodoli i raddau i amgylchiadau gwahanol yn y ddwy wlad—yng
Nghymru y brodorion a dderbyniodd iaith estron, yn y Wladfa
dyfodiad cyson a chynyddol y Lladinwyr a drawsffurfiodd y
sefyllfa ieithyddol. Fel canlyniad, dros nos megis, cyfarwyddodd
y brodorion â chlywed beunydd yr idiom Sbaeneg yn ei phurdeb,

a chymaint oedd ei dylanwad nes trawsffurfio'r Gymraeg. Fodd bynnag, annheg fuasai awgrymu fod Cymraeg y bobl ganol oed bob amser o'r un natur, neu yn yr un cyflwr, gan fod ei hamrywiaeth yn adlewyrchu'r gwahanol raddau o gymysgu cydrhwng teuluoedd y Cymry a'r Lladinwyr. Ar un eithaf, wrth gwrs, bydd rhywun sy'n ei chael hi'n anodd, neu'n amhosibl, i fynegi'i feddyliau'n glir yn Gymraeg, yn tueddu i ddewis siarad Sbaeneg, ac esgeuluso iaith ei febyd. Ar yr eithaf arall, oherwydd traddodiad teulu, neu ddiddordeb personol, glynodd eraill wrth Gymraeg cyhyrog eu tadau.

Mae'r gyd-berthynas rhwng y Cymry a'r Lladinwyr yn destun ynddo'i hun. Nodweddid hi ar brydiau gan straen ac anghydfod, yn arbennig gan fod ymdeimlad o arwahanrwydd ac o wahaniaeth crefydd, moes, ac iaith, yn ymhlyg ynddi. Er enghraifft, taflai plant ysgol yr ymadroddion sarhaus hyn at ei gilydd: ar yr un tu, "¡Los galenses, pan con manteca!" ("Y Cymry, bara a saim!"), ac ar y tu arall "¡Gallegos, patas sucias!" ("Sbaenwyr, traed budr!")—*gallegos*, yr enw am wŷr Galicia, a arferid yn yr Ariannin i ddisgrifio'r Sbaenwyr a oedd newydd gyrraedd o Ewrop. Ond gwyddom hefyd i'r berthynas hon fod yn fynych iawn yn un hapus a chanlyniad hynny i raddau yw'r doreth o eiriau Sbaeneg a dderbyniodd y Gymraeg.

O graffu ar eirfa'n unig, gellid llunio rhestr faith, yn arbennig o dermau bwydydd, a thechneg, a busnes, a diwydiant, lle ni chafodd Cymraeg y Wladfa gyfle i fathu'i geiriau ei hun—ac yn hyn o beth gwelir y fantais i'r Gymraeg yng Nghymru, lle bu Prifysgol a sefydliadau eraill yn swcro a chyfoethogi. Sylwn yn hytrach felly ar ymadroddion a darddodd o'r iaith Sbaeneg, ond sydd bellach yn rhan naturiol o Gymraeg y Wladfa: *tan tro nesaf! (¡hasta la próxima!), tan yfory! (¡hasta mañana!);* clywir *mynd i paseando* (neu *baseando),* sy'n cynnwys y ferf Sbaeneg *pasear,* mynd am dro; byddwch yn *tynnu pass* neu *docyn (sacar un pasaje* neu *billete),* ac yn *siarad trwy'r teleffon (por teléfono);* mae amser yn tueddu i basio *(pasar)* yn hytrach na mynd heibio; ac wrth fynd i mewn i gar, neu ddod allan ohono, yr ymadroddion priodol yw *mynd i fyny (subir)* a *dod lawr (bajar).* Mewn dosbarth gwahanol, ceir enghreifftiau o ffitio'r ymadrodd Sbaeneg yn dwt i ganol brawddeg Gymraeg: *"capaz* ddaw o" ("efallai ddaw o"), neu "a *justamente* wedyn" ("ac yn union wedyn"). Rydym ni'n gyfarwydd yng Nghymru â'r cymysgu hwn: oni ddywedwn "jest wedi iddo gyrraedd," neu "sdim ots (*odds*)," neu "yn right dda"? A cheir olion ym Mhatagonia o ddefnydd traddodiadol geirfa Saesneg yn "Cheerio!" a "So-long!" Efallai mai rhinwedd mewn iaith yw'r gallu i dderbyn i'w chôl nid yn unig eirfa ond hefyd briodddulliau iaith arall: y mae'r golled dros dro yn ennill yn y pen draw i'r Gymraeg, fel y dengys y llu o eiriau Lladin a Saesneg Canol sy'n dal i ffrwythloni'n hidiom feunyddiol.

Bu'r Saesneg yn ffrwythlon iawn yng Nghymraeg y Wladfa. Mae'r Gwladfawr ar y blaen i Gymry'r Hen Wlad oherwydd ei anallu gan amlaf i wahaniaethu rhwng yr eirfa Saesneg a'r eirfa Gymraeg, fwy nag y sylwn ni ar eiriau "Saesneg" fel *ansad*, neu *wtra*. I glust Prydeiniwr yn unig y mae tinc Saesneg, estron i ymadroddion fel *"pile* o bethau," *north, south*, ac yn y blaen, *feast* am *fiesta, jympio, rifle*, ac wrth gwrs y tragwyddol *nice*, mor anhepgor yn y Gaiman ag yn y Bala! Sylweddola'r ymwelydd toc gymaint o olion Saesneg sydd yma, fel broc penllanw a dreiodd dros orwel pell. Ac arwydd yw'r eirfa o bwysigrwydd yr iaith Saesneg yn isymwybod y Gwladfawr.

Roedd "gwybod y tair iaith," sef Cymraeg, Saesneg a Sbaeneg, yn fath o ddelfryd, estyniad naturiol, ond paradocsaidd, o'r sefyllfa yng Nghymru, lle credid ym mantais economaidd gwybodaeth o'r iaith Saesneg. A chyda'r ymwybyddiaeth o berthyn i'r gymdeithas Anglo-Archentaidd, naturiol oedd glynu wrth y gred ym mhwysigrwydd yr iaith honno. Pan aethpwyd ati yn y dyddiau cynnar i sefydlu ysgolion yn y Dyffryn, roedd galwad gref am ddysgu Saesneg. Ac mewn un modd neu'r llall, boddhawyd yr awydd hwn. Er enghraifft, er i Ysgol Ganolradd y Gaiman, dan arweiniad David Rhys Jones ac E. T. Edmunds, wneud cymaint i sicrhau gwybodaeth dda o'r Gymraeg, un o'i phrif bwrpasau ydoedd darparu addysg drwy gyfrwng y Saesneg. Cadwyd at y traddodiad yn "Ysgol Mrs Day," yn yr ysgol Saesneg yn Nhrelew, ac yn y mân academïau a hysbysir o hyd yn y papurau newyddion. Ac ar ben y cyfleusterau lleol ceid arlwy dda o ysgolion Saesneg ym Muenos Aires lle trwythid plant rhai o'r Gwladfawyr mwy llewyrchus, yn yr iaith Saesneg. Efallai y dylid egluro ei fod yn Saesneg go ryfedd weithiau, a'i acenion yn amrywio rhwng y Cymreigaidd a'r Lladinaidd. Eto mae'n Saesneg llithrig a da yn aml.

Cadwyd y traddodiad Saesneg yn fyw mewn ffyrdd eraill.

Cadwodd rhai teuluoedd at yr iaith Saesneg dros gyfnod o gen-
edlaethau—dyna deulu Underwood yn Nhrevelin, disgynyddion
un o arloeswyr Bro'r Andes; a theulu Phillips, Brazil—er bod y
gwron hwnnw gystal Cymro a Chardi, ymddengys iddo golli
llawer o'i Gymraeg ar strydoedd Manceinion, a diddorol mai
Saesneg yw hoff iaith rhai o'i ddisgynyddion hyd heddiw. Mwy
diddorol eto yw enghraifft teulu Richard Jones, Berwyn, un o'r
teuluoedd Cymreiciaf yn y Dyffryn, fel y cawn weld. Eto, yr oedd
Indiad a fagwyd ar eu haelwyd wedi dysgu Cymraeg a Saesneg, a
magwyd Ricardo Berwyn (nai i sylfaenydd y *Brut)* yn Saesneg yn
hytrach na Chymraeg. Cawn ddilyn llinyn y traddodiad hwn yn
ddiweddarach.

Mae Mrs. Mack Williams yn Esquel yn dynodi mewn ffordd
arbennig rym y traddodiad Saesneg. Gwraig o dref Caerfyrddin
yw hi, ond a dreuliodd dros ddeugain mlynedd yn yr Ariannin.
Gweithiodd am beth amser yn Llundain, a dysgodd yno'r arfer o
siarad, ac o hoffi, yr iaith Saesneg. Ac yn yr iaith honno y
siaradai â'i gŵr a'i phlant. Barnai ei gŵr nad oedd fawr o werth

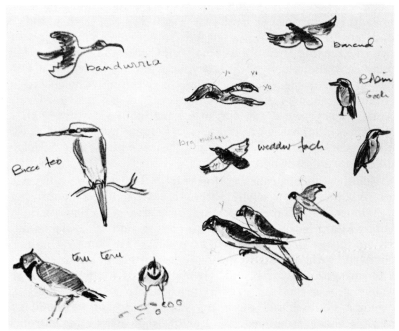

Llyfr Nodiadau yn Lle Cul, Rhif 2

i'r Gymraeg y tu allan i gylch y Wladfa, ac y dylent felly siarad
Saesneg ar yr aelwyd. Bu'r canlyniadau teuluol yn ddiddorol.
Nid yn unig Saesneg ydoedd iaith eu plant, ond dyma'r rhain yn
mynd ati mewn cenhedlaeth arall i Seisnigo'r priod, boed wraig
neu ŵr. Lladinwr oedd gŵr y ferch, ond dysgodd Saesneg tra
oedd yn y brifysgol, a honno bellach yw iaith yr aelwyd. Yn
achos y mab, gweithiai hwnnw ar y *camp* ar y ffordd rhwng
Esquel a Bariloche, a'r wraig yn Lladines—ond yma eto,
Saesneg oedd iaith yr aelwyd, a'r plant, a chan fod y gŵr yn
gweithio i gwmni Saesneg, yr iaith honno a arferai hefyd yn ei
waith. Yr oedd trydydd plentyn Mrs Mack Williams yn briod ag
athrawes, a Saesneg oedd iaith y ddau hyn gartref. Gwerth sylwi
fod plant Mrs Williams hefyd yn medru'r Gymraeg. Serch hynny
Saesneg a drosglwyddant i'r genhedlaeth nesaf, a hynny er
gwaethaf yr holl anawsterau. Adlewyrchir yma, ac yn yr
achosion cyffelyb, rym y ddadl economaidd a chymdeithasol.
Gyrrodd rhai o Gymry'r Andes eu plant i'r ysgol Saesneg yn
Bariloche, tref y ceir ynddi dwr o Almaenwyr a wladychodd y fro
honno, fel y gwnaethant dros y ffin yn Chile. Yn Bariloche, ac yn
Chile, cadwodd yr Almaenwyr eu hiaith a'u diwylliant yn fyw, ac
arwydd (a sbardun) yr egni yw'r Ysgol Almaeneg yn y dref, o
dan nawdd swyddogol llywodraeth yr Almaen. Ymddengys i'r
bywyd Ellmynig ffynnu'n well na'r un Cymreig, i'r graddau fod
pobl yn ymdeimlo â phwysigrwydd yr iaith Almaeneg, a bod
llywodraeth ar gael yn yr Hen Wlad a'i gwelai hi'n ddyletswydd i
gefnogi a chadw'r hen ddiwylliant yn fyw ar hyd gororau'r
Andes. Yn yr ystyr hon cyfran yw methiant y Gymraeg yn y
Wladfa o fethiant Cymru'i hun, ac o fethiant pobl gyffredin, o'r
ddwy ochr i Fôr Iwerydd, i ymddihatru oddi wrth y seicoleg
ddibynnol a'u cadwodd yn gaeth.

    Heddiw wynebir tranc anorfod yr iaith Gymraeg yn y ddwy ran
o'r Wladfa. Mae'r sefyllfa bresennol yn debyg i honno yng
nghymoedd glo Deheudir Cymru yn y tridegau: llaweroedd o
bobl yn dal i fedru siarad iaith eu mebyd, ond yn dewis peidio.
Ar un olwg, deëllir y sefyllfa yn haws ar lannau Chubut,
oherwydd gyda dyfodiad y llu Lladinwyr, trodd yn anodd i beidio
â chymysgu, a rhyng-briodi. Gwir y cadwyd y ddwy garfan ar
wahân dros gyfnod hir gan ragfarn ymhlith y Cymry yn erbyn
priodi â Phabyddion, ac os am gadw meddiant y tiroedd yn
nwylo'r hen gymdeithas, rhaid oedd osgoi dwyn elfen estron i

mewn. Bellach, daeth tro ar fyd, ac hyd y gellir rhagweld, bydd y bywyd Cymreig yn mynd yn y pen draw gyda'r llanw Sbaenig. Ym marn llawer, gwaethygodd y sefyllfa yn bur ddisymwth. Yn y chwe-degau sylwodd Gwladfawyr sy'n byw ymhell o'r Wladfa, ond yn dal i ymweld bob rhyw flwyddyn neu ddwy, fod mwy a mwy o'u hen gydnabod yn eu cyfarch bellach yn Sbaeneg, yn hytrach nag yn Gymraeg, fel cynt. Erbyn hyn, ychydig iawn, iawn o deuluoedd sydd â'r plant yn siarad Cymraeg. O gofio am y delfrydau a'r gobeithion a symbylodd arweinwyr y Fintai gyntaf i chwilio am Gymru Newydd dros y môr, eironig odiaeth yw sylweddoli fod dyfodol yr iaith Saesneg yn sicrach yn y Wladfa na dyfodol y Gymraeg.

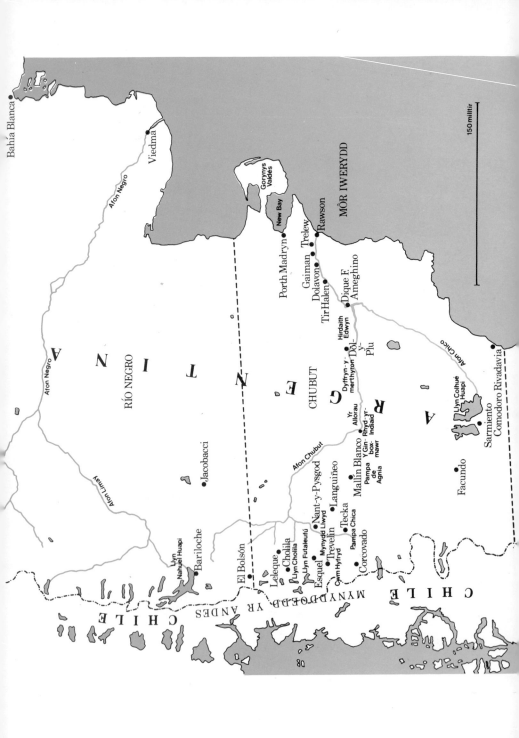

Bahía Blanca

Afon Negro

Viedma

Afon Negro

RÍO NEGRO

Afon Limay

Gorynys
Valdés

New Bay

Porth Madryn

Gaiman
Dolavon
Tir Halen
Trelew

Rawson

MÔR IWERYDD

Dique F.
Ameghino

150 milltir

Hirdaith
Edwyn
Dyffryn-y-
merthyron Dôl-
y-
Plu

A

N
T

E

CHUBUT

G

Yr
Allorau Rhyd-yr-
Indiaid
Y Gin-
bou-
mawr

R

Afon Chico

Llyn Colhué
Huapi

A

Sarmiento
Comodoro Rivadavia

Nant-y-Pysgod
Mallin Blanco
Languiñeo Pampa
de
Agnia
Tecka

Facundo

Jacobacci

Afon Chubut

Cholila
Llyn Cholila
Mynydd Llwyd
Trevelin
Cwm Hyfryd
Corcovado

Leleque

Esquel Llyn Futaleufú

Pampa Chica

Llyn
Nahuel Huapi
Bariloche

El Bolsón

MYNYDDOEDD YR ANDES

CHILE

CHILE

80

AR Y PAITH

Craig Goch, Cwm Hyfryd

IV   Breuddwyd a Phrofiad

Ac ystyried y modd y dilornwyd ac y pardduwyd y Paith—clywir
hyd yn oed heddiw adlais geiriau Darwin am wlad a melltith arni
—rhyfedd iddo gael cymaint o ganmoliaeth! Yn un peth, er bod
y gair diffeithwch yn awgrymu lle hyll, y mae, yn ei ffordd ei hun,
yn hardd iawn—amrywiaeth ei liwiau ar wahanol oriau o'r dydd
neu ar wahanol dymhorau o'r flwyddyn, amryliwedd ei greigiau
a'i arwynebedd, ei lonyddwch llwydwedd tan olau lleuad. Ond
nid harddwch cyffredin mohono. Perthyn iddo nodweddion y
math hwnnw o dirlun y rhoes Edmund Burke yr enw *sublime*
arno, gwlad y mae'i harddwch yn atseinio teimladau dyfnion
mewn dyn, gan ddeffro'i arswyd a'i ryfeddod. Yn yr ystyr honno
harddwch moesol sydd i'r Paith, a dyna'r modd y gwelodd
Charles Darwin, Domingo Sarmiento, W. H. Hudson, ac
Eluned Morgan ef.

Creadigaeth lenyddol ydyw hi mewn gwedd arall yn ogystal,
gan iddi fynegi yn ei thro ymateb cyson y llenor Ewropeaidd i'r
cyfandiroedd Americanaidd. Mynegwyd y weledigaeth hon yn
gyntaf efallai gan y Llydawr, François René de Chateaubriand
yn ei ddisgrifiadau ysgubol o degwch yr Unol Daleithiau ar
ddechrau'r ganrif ddiwethaf, a daeth y traddodiad wedyn yn
rhan o ffordd yr Americanwr yntau o weld ei wlad ei hun. Dyna
ichi'r bardd o Grynwr, J. H. Whittier, er enghraifft:

Beyond, the prairie's sea-like swells surpass
The Tartar's marvels of his land of Grass,
Vast as the sky against whose sunset shores
Wave after wave the billowy greenness pours;
And, onward still, like islands in that main
Loom the rough peaks of many a mountain chain.

Gwelir yma'n eglur un o nodweddion y *cliché* rhamantus, yr ehangder diddiwedd. Elfen arall ydoedd cyntefigrwydd yr olygfa, na chafodd dyn ddim o'r cyfle eto i'w halogi, paradwys cyn ei cholli. Hwn yn fwyaf arbennig oedd profiad W. H. Hudson, pan syllodd am y waith gyntaf ar diroedd y Paith wrth sefyll ar y trumiau uwchlaw'r Afon Ddu: "Diffeithwch ydoedd a fu'n ddiffeithwch erioed, ac am y rheswm hwnnw melus ydoedd syllu ar hon uwchlaw pob golygfa arall, heb ddim i dorri ar ei llonyddwch hynafol ond galwad, neu drydar, rhyw aderyn bach o bryd i'w gilydd." Ar lefel ddyfnach ar yr eiliadau hyn, ymdeimlir â bychander dyn, ac eto i gyd â'i fedr hefyd i blymio i gymun cyfrin â Natur. Ac nid oes well awr i'w brofi nag yn ystod unigeddau'r nos. Ymatebodd Eluned Morgan iddo gyda'i holl deimladrwydd rhamantus:

Distawrwydd y paith yn y nos—pwy all fynegi am dano na'i egluro? Peth i'w *deimlo* ydyw, ac nid i ysgrifennu na siarad am dano. Anodd peidio breuddwydio aml i freuddwyd tlws wrth syllu ar y wybren serliog uwchben, a theimlo ei bod mor ddistaw fel os gwrandawn yn astud y daw i ni ryw genadwri o arall fyd . . . Hoffwn gredu fod yr ysgol welsai Jacob gynt wedi ei gosod yn ein gwersyll bychan ninnau, ac fod yna wylwyr tyner yn esgyn ac yn disgyn ar hyd-ddi rhag digwydd i ni niwed.

Ond er gwaethaf ysbryd dwys Eluned, y gwyddonydd Charles Darwin a eglurodd lwyraf efallai gyfriniaeth profiad y Paith. Tywysodd ei daith anferth ef o Ogledd Brazil ar hyd arfordir dwyreiniol y cyfandir, o gylch Penrhyn Horn ac i fyny'r ochr draw hyd at Periw, ac wedyn draw i Tahiti a Zeland Newydd. Ar ei diwedd datganodd mai dwy wlad a wnaeth yr argraff ddyfnaf arno, a hynny gan eu haruchledd ("sublimity"). Fforestydd Brazil a'r Tierra del Fuego oedd y rhain, tiroedd "nas

difwynwyd gan law dyn". Cyplysodd gyda'r olaf yr atgof am
anialwch Patagonia, ac wrth geisio deall paham y seriwyd
hwnnw mor ddwfn ynddo, awgrymodd mai rhan o'r esboniad
ydoedd fod golwg y Paith rywfodd yn rhyddhau dychymyg dyn:

> Y mae gwastadeddau Patagonia heb iddynt derfyn, gan mai
> prin y gellir eu croesi, ac arhosant felly'n anadnabyddus;
> rhoddant yr argraff iddynt bara, fel y maent, ers oesoedd, ac
> ni welir ychwaith derfyn i'w parhad yn nyfodol amser.

Cynigiodd y Paith hefyd brofiad pur wahanol, a'i wraidd yn
ddwfn yng ngreddfau dyn. Fel W. M. Hughes ar ei ôl,
crybwyllodd Charles Darwin hyn, ac er ei fod yn cyfeirio'n gyff-
redinol at brofiadau'r daith, anodd peidio â gweld yn ei eiriau
atgof arbennig am y *pampa,* a'r Paith:

> Fe addefwyd fod caru hela yn bleser cynhenid mewn dyn—
> crair megis o ryw nwyd greddfol. Os felly, yr wyf yn sicr fod y
> pleser o fyw yn yr awyr agored, a'r wybren yn do uwchben a'r
> ddaear yn fwrdd otano, yn rhan o'r un teimlad; hwn ydyw'r
> dyn gwyllt yn dychwelyd i'w arferion cynefin ac anwar.

Fodd bynnag, waeth beth ydoedd cryfder apêl yr anwar ymhlith
helwyr y Paith, caent yno o leiaf yr ymdeimlad o ryddid oddi
wrth hualau a chonfensiynau cymdeithas, ynghyd â'r ymwybod,
mor anghyffredin yn y byd sydd ohoni, y gall dyn godi yn y bore,
cael ei frecwast o asâw a'i dot o fati, a dewis mynd ar gefn ei geffyl
i ddilyn llwybr unrhyw un o'r pedwar gwynt. Cyffyrddai'r ar-
gyhoeddiad hwn â rhyw gord rhamantus hyd yn oed mewn pobl
annisgwyl. Gŵr felly ydoedd John Henry Jones (partner Elias
Owen y melinydd, a thir-feddiannwr o'r Gaiman, a fu farw tua
1915); dyn mawr, cyhyrog, yn chwe throedfedd a phedair
modfedd o daldra, yn cael yr enw o fod y dyn cryfaf yn y Wladfa.
Un da am saernïo englyn byr-fyfyr, yr oedd hefyd yn ŵr ffri, ac
mor ddiofal â'r aderyn. Fe'i gyrrwyd i'w fedd yn ŵr trigain oed,
meddir, gan ei or-hoffter o fwyta cig. Yn ei salwch ni fedrai
ddygymod â bod yn orweiddiog—wedi'r cwbl ei arfer ydoedd
mynd i fyny i'r Andes, lle roedd ganddo dir, a byw allan ar y
camp am fisoedd ar eu hyd. Ar ei wely yn ysbyty Trelew
hiraethai am ryddid iach y Paith: "Buaswn yn iawn mewn dim o

amser," ebe ef, "dim ond imi gael mynd allan i'r *camp* a chael gorwedd ar y croen dafad."

Hawdd ydoedd i ŵr o gyffelyb fryd uniaethu'r Paith â math o wynfa nas collwyd, y gellid encilio iddi rhag trafferthion a gofalon y byd. Dyma'r weledigaeth a fynegodd William Williams (Prysor) yn ei gân "Ar y Paith" (1921):

> Taflaf bridd dros y marwydos,
> Rhag i'r gwynt ail gynneu'r tan,
> Yna trof i'm gwely diddos
> Tan y nef serennog lan.
> Nid wy'n ofni dim i'm drygu—
> Nid oes storom yn y nen;
> Ac mae'r helgi, yntau'n cysgu,
> Dan y llwyni, wrth fy mhen.

Wrth fynegi'r dyhead hwn amlygai'r Cymro beth o'r ysbryd annibynnol a nodweddai'r *gaucho* a'r Indiaid fel ei gilydd.

Nodwyd eisoes mai ychydig o Gymry a fentrai allan i'r Paith, oddi gerth ar gyfer rhyw gymaint o hela achlysurol. Yn un peth golygai gefnu ar y gymdeithas Gymreig, a dim ond drwy ddyfal siarad Cymraeg â'r anifeiliaid y llwyddodd ambell un a fentrodd, i gadw'i iaith gysefin. Yn wir collodd rhai yn llwyr yr arfer o'i siarad. Yn ei gân "Yr Archentwr Cymreig" (1919) lladdodd Rees Daniel (Deiniol) ar y *gaucho* o Gymro am ei fod yn tueddu i anghofio'i Gymraeg, a bod ei Sbaeneg yn ogystal yn "ddirin." Mae'n dannod hefyd i'r afradlon hwn anghofio gwerthoedd ei gymdeithas ei hun:

> I 'steddfod na chapel ni ddaw,
> Am grefydd ni falia fawr ddim;
> Ei dduwiau ef ydynt "asaw"
> A march fedr rhedeg yn chwim.

Ond ceir eiddigedd hefyd yng nghalon y bardd, yn arbennig wrth greu darlun o Arcadia a hawddfyd:

> Digyffro ac esmwyth ei fyd,
> Yn sipian ei fati bob awr,
> A hoff o led-orwedd o hyd
> Ar ddarn o groen dafad i lawr.

Hapused o fore hyd hwyr,
Ni falia am gyflog na gwaith,
A chladd ei bryderon yn llwyr
Pan fynno dan lathen o Baith.

Yn yr ymgiprys hwn rhwng gwerthoedd cymdeithas drefnedig ac
annibyniaeth ddihidio y rhai a "gânt fynd i'r fan a fynnon'",
ceir cipdrem oddi fewn i fframwaith Cymreig, ar y croesdynnu
rhwng dau eithaf bywyd Ariannin, *civilización* a *barbarie*.

*   *   *

Cyplysodd Cadvan yn ei gân "Gwib i'r Paith" y ddwy wedd ar
y fro honno a brofasai'r Gwladfawyr cyntaf, sef y cyfle i bori'u
gwartheg, ac i hela'n achlysurol. Dyma nwyf yr hel:

Ac ar y cwrs, yn sydyn cwyd
Ryw brav estrysen gevn-vraith lwyd;
A thyna hi yn baglu mynd
Dan ledu edyn at y gwynt;
Ond ar yr eiliad wele hi
Yn cael ei throi i ddant y ci.

Ond fel heliwr am yn ail â gwyliwr ei wartheg, fe'i câi hi'n anodd
i gysoni'r ddau orchwyl, a chollwyd y cyfle felly i fynd ar ôl yr
"estrys fras" arall a welodd:

Ond nid oes amser i ymdroi—
Mae'r gwartheg eto'n dechrau foi;
Rhaid codi carlam ar ei hynt,
A tharo chwip er myn'd yn gynt,
Nes troi eu penau'n ol i dre',
Rhag ovn yr ant nas gwyr pa le.

Ie, "yn ôl i dre'", adref i'r hen gynefin. Ond ymhen yr amser,
ac mewn modd annisgwyl, troes y Paith yn fater o bwys econom-
aidd i'r sefydliad. Mynegwyd y newid a'i achosion yn eglur gan
"Cyrnol Jones" ar gychwyn ei stori *Miriam y Gelli,* mewn darn
ohoni a ymddangosodd yn y *Dravod* ym 1896:

Priodol iawn y galwai un ein dyffryn cul yn "hosan". Modd bynag, i'r hosan fechan bellennig hon y dymunodd ein blaenoriaid blanu cenedl Gymreig, gan arfaethu iddi fyned yn genedl gref trwy ddyfodiaid a chenedliad. Yn fuan iawn gwelwyd nad oedd yn wiw disgwyl i genedl fyw mewn hosan; ac aed i chwilio yn y gymydogaeth am wlad eangach, frasach.

Er rhagweld y sefyllfa hon ynghynt, dim ond yn negawd olaf y ganrif y sylweddolodd y Gwladfawyr gulni'r hosan honno. Bellach cerddasai cenhedlaeth gyfan arall i'w hetifeddiaeth yn y Dyffryn, lluosogodd y teuluoedd, bu raid i'r etifeddion ymfodloni rywsut ar ddarnau llai o dir. A daethai sawl mintai arall o Gymru, yn chwannog am yr etifeddiaeth a addewsid iddi ym Mhatagonia, fel y gwelir yng ngeiriau'r gân hon a ymddangosodd yn gyntaf yn yr *Amaethwr Cymreig*:

> Cymer galon ac ymfuda
> Dros y môr i Batagonia.
> Can yn iach am byth i Walia
> Ar hyd dy oes.

Ond erbyn adargraffu'r gân yn y *Dravod* ym 1897, ymdeimlad o eironi, mae'n sicr, a ysgogodd y golygydd, fel y gellid ei gasglu o'r geiriau sy'n dilyn:

> Ti gei yno diroedd ddigon,
> Mewn hyfryd wlad;
> Heb un dreth i boeni'th galon,
> Mewn hyfryd wlad.

Eithr erbyn hynny fe geid nid yn unig y wasgfa ar diroedd y Dyffryn, ond y problemau a grëwyd gan amaethu dihidio'r blynyddoedd cyntaf. Cwynodd un gohebydd yn y *Dravod* ym 1896 am y modd yr ymestynnodd y chwyn yn y Dyffryn, y maip a'r mwstard gwylltion, a'r "cabaetsh bach" ar y tiroedd halennog, a beiodd y ffermwr hefyd am ddwyn y maeth o'r pridd trwy godi "wyth neu ddeg cnwd" o'r un tir. Nid oedd y Gwladfawyr cyntaf, fwy na'u disgynyddion heddiw, yn gwrteithio'r tir, ac mewn cyfnod o wasgu ar adnoddau dyma ffactorau eraill a beryglai ddyfodol amaethu'r fro.

Yr amgylchiadau hyn a estynnodd ran o'r boblogaeth dros

ymylon y Dyffryn, a'u gwasgar i wahanol rannau o'r Paith.
Medrodd un gohebydd yn y *Dravod* ym 1899 awgrymu i'r Cymry
fod yn ymfudwyr "er yr oesau boreuaf", yn wir ei bod yn reddf
ddwyfol ynddynt! Yn bendant yr oedd yna dwymyn ymfudo yn yr
adeg hon, a gellir mesur ei thymheredd mewn cerdd gan Lynfab
o'r flwyddyn 1898, a argymhellai y Cymry ieuainc i drïo'u cyfle
ym mro Colhué Huapi i'r de o afon Chubut:

> Ar hyd a lled y dyffryn
> Ar ddyddiau byr a hir
> Fe glywir cwyno cyson
> Gan ddynion eisiau tir;
> Yn lle tuchanu, fechgyn
> Awn i sefydlu'r wlad,
> Mae gwastad fro Colwapi
> Yn galw am ddyfrhad.

Efallai mai at yr aniddigrwydd hwn y cyfeiriodd yr arweinydd
Lewis Jones yn ei neges Gŵyl Dewi ym 1896, pryd y cyhoeddodd,
mewn ieithwedd ddirgel, gyfriniol, fod y Cymry "fel urdd
Melchisedec" yn chwarae rhan mewn arfaeth ddwyfol, ac
ychwanegodd mewn trosiad disglair: "Yr ydym yn ysu vel yr ysa
trydan cyn y neidia yn oleuni." Yn ffodus, bron oddi ar gychwyn
y Sefydliad, bu arloeswyr yn paratoi ar gyfer y naid hwn i'r
gwagle. Priodol cofio enwau rhai ohonynt, a'u clodfori. Dyna
Edwyn Roberts, a roes ei enw i Hirdaith Edwyn, y *travesía*
sychlom rhwng pen uchaf y Dyffryn a Dôl y Plu; Aeron Jenkins,
a lofruddiwyd ar y Paith gan *gaucho* cyfrwys a oedd yn garcharor
iddo; John Murray Thomas, y gŵr dewr o Benybont-ar-Ogwr a
arloesodd gymaint ym mro'r Andes. Eithr saif dau enw ar ben y
rhestr; John Daniel Evans, yn dyfod o Aberpennar, ond â
gwreiddiau ei deulu yn Sir Gaerfyrddin; a'r llall yn fab i un o syl-
faenwyr y Wladfa, Michael D. Jones, ac a enwyd yn Llwyd ap
Iwan, yn unol ag ysbryd yr oruchwyliaeth newydd. O'r ddau hyn
y cyntaf a daniodd ddychymyg a chof y Wladfa, ond y mae
cyfraniad y llall yn bwysicach efallai, a lletach.
    Cysylltir enw John Evans fwyaf â'r stori am ei geffyl cydnerth,
cyflym, Malacara, a achubodd ei fywyd rhag yr Indiaid yn ystod
un o'r teithiau a wnaeth ei feistr o'r Dyffryn yn yr wyth-degau.
Claddwyd gweddillion Malacara mewn bedd yng nghartref John

Evans yn Nhrevelin, ac yn ei ymyl graig nobl sy'n dwyn arysgrif
yn rhoi peth o hanes yr achub. Bydd ymwelwyr haf yn galw
heibio i'r fangre, oherwydd aeth dewrder y ceffyl "hyll ei wyneb"
yn rhan o chwedloniaeth Ariannin. Cymaint yn well fuasai hi pe
gwypid rhagor am gampau'r meistr! Rhoddwyd iddo'n gynnar
yr enw *Baqueano*, teitl parchus fel y tystiai Sarmiento yn ei lyfr
Facundo, oherwydd ymhlith yr Indiaid, ac yn eu sgîl ymhlith
gauchos y pampa a'r Paith, y *baqueano* oedd y gŵr a
adnabyddai'r ffyrdd, ac a fedrai fel rhyw broffwyd ledio'i bobl
drwy'r anialwch di-lwybr. Medrai'r *baqueano* dracio'n dda
hefyd, gan wybod yn union i ba gyfeiriad yr aethai'r gwartheg,
neu fe ddichon geffylau rhyw Indiaid gelyniaethus, gan amcan-
gyfrif yn weddol gywir faint o amser a aethai heibio oddi ar
iddynt fod yn y man a'r lle. Dawn arall anghyffredin John Evans
oedd sut i guddio'i draciau, fel na byddai modd i'r gelyn ei
ddilyn. Dyma'r rhinweddau a'i gwnaeth yn aelod, ac yn un o
arweinyddion, y daith ymchwil gyntaf i gyfeiriad yr Andes, pan
ymunodd nifer o'r Cymry gyda milwyr Ariannin dan arweiniad y
Cyrnol Jorge Fontana, Arlywydd Tiriogaeth Chubut, yn y
flwyddyn 1885. Dyna pryd y darganfuont Gwm Hyfryd, a Bro
Hydref, lle crëwyd yr ail wladychfa Gymreig. Dilynasant yr
Andes wedyn i gyfeiriad y de, ac arloesi'r tir ym mro llyn anferth
Colhué Huapi, dros gan milltir o ddyffryn Chubut. O'r llyn
hwnnw (y sefydlwyd yn ddiweddarach ar ei lannau dref
Sarmiento, sy'n coffáu'r Arlywydd ac awdur *Facundo)*
cylchasant yn ôl ar hyd y Río Chico, sy'n ymuno â'r Chupat yn
uwch i fyny'r afon na'r Dyffryn, gan ddychwelyd adref wedi taith
gron o dair mil o filltiroedd. Ond nid y lleiaf rheswm dros gofio
John Evans yw ystwythder rhywiog ei Gymraeg; haedda'i ddydd-
iaduron le arbennig yn ein llenyddiaeth. Yn hanes y daith
gyntaf, a honno a'i dilynodd i gyfeiriad y gogledd, dros "yr
hirlwm ffyrnig" tuag at lyn Nahuel Huapi sy'n cysylltu â Chile,
ymdeimlwn nid yn unig â'r gŵr onest, balch o'i dras Cymreig yn
ogystal ag o'i ran yng nghoncwest tiriogaethau newydd gwlad yr
Andes, ond â'r bardd a fedrai ddarlunio tegwch y wlad o'i gylch.
Gŵr gwresog hefyd, a llawn hiwmor, a wyddai sut i ddisgrifio
rhai o'r troeon trwstan a digrif a'u goddiweddodd. Yn y darn
sy'n dilyn darllenwn am ddau anffawd yn hanes un o hen gymer-
iadau lliwgar y Wladfa, yng nghyffiniau Cholila:

A pan yma aeth yn gwrs ar ôl haid o estrysod a'r hen Wladfawr William Jones y Bedol, teiliwr wrth ei alwedigaeth, wedi dod allan gyda'r Fintai gyntaf yn y *Mimosa* yn y flwyddyn 1865, o ardal y Bala. Marchogai Jones y diwrnod hwnnw gaseg hynod am ei chyflymdra a'i bywiogrwydd, ac ar y cwrs deuai Jones bron o fewn gafael i wddf un o'r estrysod, a'r peth cyntaf a welsom wedyn, yn lle cydio yn ngwddf yr estrys, gwelsom Jones yn ehedeg i ffwrdd fel barcutan papur am ddegau o lathenni i un cyfeiriad, a'r gaseg i gyfeiriad arall, nes bod y fan yn un cwmwl o lwch. Byddai Jones ar ein gwaethaf yn llusgo rhaff oddeutu deuddeg mitar o hyd wrth wddf y gaseg yn feunyddiol, a chwlwm mawr ar y pen y byddai'n llusgo. A'r hyn a ddigwyddai oedd, pan ail gydiai yn yr estrys, a'r cwlwm ar ben y rhaff fechan o dan wreiddiau un o'r mangoed, parodd i'r gaseg blwc mor sydyn nes chwyrnellu Jones fel pelen un ffordd, a'r gaseg hyd ei thennyn y ffordd arall. A thrannoeth y digwyddiad yma yr oedd Jones yn marchogaeth y gaseg ddu eto a'r rhaff yn llusgo fel arfer y tu ôl, ac ef ar y blaen y tro hwn yng nghanol y trŵp mulod. A phan yn ymyl ffos dwy lath o led, ac ofn neidio y mulod trosodd, a phan oedd y gaseg yn codi i'w naid i glirio'r ffos, sathrodd un o'r mulod ar ben y rhaff nes dymchwel y gaseg a'r marchogwr ar wastad eu cefnau i ganol y ffos hyd nes oeddynt yn wlyb diferol.

Os cynneddf naturiol a wnaeth John Evans yn arweinydd ar lwybrau'r Paith, ei hyfforddiant fel peiriannydd a thir-fesurydd a roes fri ar Lwyd ap Iwan ym mywyd y Dyffryn. Ond buan y dangosodd ei alluoedd fel arloeswr, nid yn unig ar y Paith ac yn y mynyddoedd, ond hefyd yn ei ymdrechion wedi llifogydd 1899/1900 i archwilio yn yr Affrig am lecyn lle gallai'r Cymry o Batagonia sefydlu gwladychfa arall. Bu hefyd yn weithgar ym mryniau'r Paith yn chwilio am aur a mwynau eraill. Yna ymsefydlodd fel rheolwr siop Cwmni Masnachol y Camwy yn Nant y Pysgod, a dyna lle llofruddiwyd ef ym 1909 gan ladron, rhai o giang Butch Cassidy a ddaeth i gipio'r arian y tebygent oedd ar gael yn y lle.

Fel John Evans bu ar rai o'r ymgyrchoedd cyntaf i'r Andes, ond arloesodd mewn mannau eraill hefyd, yn arbennig ar gyfer y *Phoenix Mining Company*. Cadwodd ddyddiaduron gweddol fanwl o rai o'i deithiau, heb sôn am adroddiad swyddogol arnynt, yn Gymraeg a Saesneg. Er nad cystal llenor â John Evans, mae ganddo hiwmor, a dawn y gwyddonydd i geisio deall a dehongli'i amgylchfyd. Fel enghraifft o brofiadau'r arloeswyr hyn, ac o ddawn ysgrifennu Llwyd ap Iwan, dyfynnir rhan o'r dyddiadur Cymraeg a gadwodd o'i daith dros haf 1894/1895.

Mynd a wnaeth y tro hwnnw dros *Gwmni'r Phoenix,* a dywaid yn ei adroddiad wrthynt mai "Amcan yr Ymchwildaith oedd myned drwy fwlch yn yr Andes i'r Mor Tawelog, Chwilio am dir priodol i'w sefydlu, ac edrych am fwynau, etc." Pump oedd yn y fintai, pedwar Cymro ac un gwas o Indiad yn dwyn yr enw Gregorio Ritamal (Iatel). Cychwynasant o'r Gaiman ar y 12fed o fis Tachwedd, gan anelu i gyfeiriad yr Andes ar hyd y llwybr arferol, cyn bwrw i lawr ar hyd y *Cordillera* o waelod Cwm Hyfryd. Eu bwriad oedd arloesi yn y fro gerllaw Llyn Buenos Aires, un o lynnoedd mwyaf yr Andes, a'i ddyfroedd gorllewinol yn treiddio'n bell i diriogaeth Chile. Methu a wnaethant yn eu cais i daro ar fwlch drwy'r mynyddoedd, gan fod y tyfiant mor drwchus, yn arbennig y *canes* nad oedd posibl torri trwyddynt. Bu'r tywydd hefyd yn anffafriol odiaeth, gymaint yn wir nes i Lwyd ap Iwan gredu fod ysbryd yr Andes wedi'u melltithio! Tra parhâi'r glaw i bistyllu, a'r coed i ddisgyn gyda chrac uchel yn y goedwig o'u cylch, rhaid oedd i'r teithwyr aros yn eu pabell nes blino'n lân ar weld ei gilydd—yr oedd Iatel yn fwy ffodus na'r lleill, am fod ynddo ddawn cysgu anghyffredin! Ac ychwanegodd Llwyd ddarlun pensel yn ei ddyddiadur, lle gwelwn yr Indiad yn gysurus ar lawr y babell, tra eisteddai un o'r cydymdeithwyr (neu fe ddichon y dyddiadurwr ei hun) ar ystôl gynfas, gŵr barfog a het ar ei ben, yn sgrifennu ar fwrdd o'i flaen. Meddai'r dyddiadurwr yn ddigalon:

Erbyn hyn wedi gorphen pob dernyn o bapur printiedig allwn gael gafael arno. Deuwn weithiau ar draws ambell i ddarn o bapur rhwygiedig wedi ei daflu o'r neilldu pan ddaethom yma i ddechreu ychydig ddiwrnodau yn ol. Maent yn awr yn wlyb a thyllog. Rhyfedd y gofal gymerir i gario y rhai hyn at y tan i'w sychu ac edrych allan y newyddion geir ynddynt.

Yn y diwedd peidiodd y glaw, a bu modd gweithio ychydig er gwaethaf y pryfed mân a oedd ar brydiau'n difa dyn ac anifail.

(Daw i gof linell mewn englyn i'r *mosquito,* a ymddangosodd yn
y *Dravod* ym 1915: "Rhyw sot am waed yw'r Satan"!) Dyma
ddarlun cryno o waith un dydd, yr 11fed o Ionor 1895:

> . . . Teithio ynmlaen ar y gwastadedd sydd yn cydredeg a'r
> afon ond uwch na'r dyffryn rhyw 200 neu 300 troedfedd.
> Cawsom gryn helbul gydâ'r pynau. Un mul yn syrthio
> ddwywaith gyda'i bwn i'r dwfr. Gwlychodd ein dillad gwely,
> mapiau, etc., ond arbedwyd y bwyd. Arhosasom enyd lle
> syrthiodd y tro cyntaf i sychu y papurau. Cawsom yno dot o
> fati. Gwersyllasom yn fuan ar ol yr ail ddowc ar lecyn clir i'r
> SE o Moel Llechi. Porfa dda. Aeth W_m W_{ms} a minau ar ol
> bwyta am dro at yr afon ar ein traed trwy y drysni a'r corsydd.
> Cawsom liw aur trwy olchi *alluvial* sydd ar wely o glai, lle
> tarawa yr afon ar dorlan yr ochr ddeheu(a)wl rhyw filltir neu
> ddwy nag y golchem ac y cawsom arwyddion aur y flwyddyn
> ddiwethaf. Taith heddyw un llech (tair milltir).

Serch y mynych olchi gobeithiol, ni bu llewyrch ar yr ymchwil am
aur. Fodd bynnag, wedi cyrraedd uchder Llyn Buenos Aires,
oddeutu dau gant o filltiroedd i'r de o Ddyffryn Chubut—deil yr
enw *Cerro ap Iwan* ar un o'r copaon ar y tu gogleddol i'r Llyn—
dyma gyfle i chwilio glannau blaenau dyffryn arall, a dreiglai am
dros drichan milltir ar hytraws rhwng yr Andes a Môr Iwerydd.
Drwy hwn llifai Deseado, a Port Desire yn sefyll yn yr aber
hwnnw lle ceisiodd Sir John Narborough godi baner Prydain.
Enw Llwyd ap Iwan a Chymry eraill ar yr afon hon oedd Aethwy,
sef "dyfroedd dymuniad," cais, mae'n debyg, i gyfieithu'r enw
Saesneg. Aeth yr arloeswyr ati yma i archwilio pedwar ugain
milltir o lannau rhan uchaf afon Aethwy, gan ddwyn samplau
o'r pridd adref er mwyn profi'u rhinwedd. Barnodd ap Iwan y
gellid ymsefydlu'n llwyddiannus yn y dyffryn hwn, ond rhaid
fuasai dyfrhau, a chan nad oedd digon o ddŵr yn yr afonydd a
chwyddai lif Aethwy, awgrymodd newid cwrs afon arall(a lifai'n
bresennol i'r Môr Tawel) gyda'r bwriad o ddwyn ei ddyfroedd
trwy gamlas hyd at Ddyffryn Aethwy. Er na dderbyniwyd argym-
hellion Llwyd ap Iwan, amlygent ddychymyg mentrus, a meddwl
ymarferol, fel y tystiai ei amcangyfrif o gost llunio'r gamlas.
   Heb arloesi tebyg i'r eiddo'r gwŷr gwydn hyn ni allasai'r

fintai luosog gyntaf o'r Wladfa wneud eu ffordd drwy'r diffeith-
wch ym 1889—cawn ddilyn llwybrau'r fintai honno yn ddiwedd-
arach, a sylwi ar natur y gymdeithas i fyny ym Mro Hydref. Eithr
mewn gwirionedd honno oedd y gyntaf, a'r unig un
lwyddiannus, o blith sawl ymgyrch a gychwynnodd o'r Dyffryn.
Ni wnaf yma ond eu nodi. Aeth rhai i fannau ar hyd, neu nid nepell
oddi wrth, lwybr yr Andes, yn Nôl y Plu, yn Tecka, yn Nant y
Pysgod, ac ym Mallín Blanco. Aeth eraill, fel y cyfeiriwyd eisoes,
i fro Sarmiento ar lannau Llyn Colhué Huapi, lle erys amryw o'u
disgynyddion, rhai ohonynt wedi glynu wrth yr iaith Gymraeg.
Aeth mintai arall yn nes at Buenos Aires, i fan i'r Gogledd o
Bahía Blanca, y rhoddwyd arno'r enw Helygen Fer, ac aros
yno nes i'r Rwsiaid brofi'n sefydlwyr mwy effeithiol na hwy. Ond
o'r minteioedd hyn y fwyaf diddorol efallai—yn arbennig o
ystyried mai chwilio yr oeddid am bobl a fedrai ddyfrhau'r tir—
oedd honno a aeth dan arweiniad y peiriannydd Edward
Owen, Maesllaned, i Choele-Choel, ynys lychlyd o'r un maint â
Sir Fôn, ar ganol afon Río Negro. Priodol oedd hi fod y Cymry
wedi llwyddo gyda'u cynlluniau dyfrhau, a bod rhywun wedi canu
ar fesur englyn i "Geg y ffos"! Y bardd oedd E. Morgan
Roberts. Tybed ai hwn yw'r unig englyn Sbaeneg ar glawr?

> Fortín de vista linda—a los trigos
> Les traiga el agua;
> Regulador riego lo da
> En mares sin demora.

Ond beth bynnag am eu llwyddiant gyda'r "moroedd diatal,"
nid oedd yn y Cymry y ddawn i wreiddio yn y fro ddieithr. Arhos-
odd rhai teuluoedd yno, fel a ddigwyddodd gyda'r gwladych-
feydd bychain eraill, ond ciliodd y rhan fwyaf yn ôl i gynhes-
rwydd y Dyffryn. A phwy a all gael bai arnynt am hynny,
oherwydd yn aml yr oedd yr amgylchiadau newydd yn waeth na'r
helbulon y ceisiasent ddianc rhagddynt? Er enghraifft, er
gwaethaf y cymell brwd i ymsefydlu ger Colhué Huapi yn y gân a
ddyfynnwyd eisoes:

> Rhown ger ar gefn y ceffyl
> A phwn o flawd a chig,
> A charlam i Golwapi
> I feddu chwarter lig

adroddiad digon anffafriol o'r lle a roddwyd gan Ernest Scott ymhen pedair blynedd. Nododd mai dim ond ar draean, dyweder, o fferm o ddau gant a deugain o erwau y gellid hau gwenith, a bod y cynnyrch yn rhy ychydig i gynnal teulu o ddeg neu ddeuddeg. Yr unig ddewis arall ydoedd i'r meibion chwilio am waith ar yr *estancias* i'r de a'r gorllewin, gwaith a gyflewnid gan y *"chilenos* esgymun" a'r Indiaid:

> Fel canlyniad, y maent yn dychwelyd mewn llawer o achosion i gyflwr mwy neu lai anwar ("a state of semi-savagery") pur wahanol i'r amgylchedd gyfforddus honno a geir mewn cartref gwareiddiedig, y dymunai rhieni i'w plant ei mwynhau. Oherwydd i'r cyfryw ag sy'n hoffi bywyd yn y rhannau mwyaf gwyllt a heb eu gwladychu, fe ellir bob amser wrth waith ar *estancias* yr *Argentine Southern Land Company.*

Wedi'r cwbl, y mae hosan, pa mor gyfyng bynnag a thyllog y bo, yn gynhesach na thor croen di-ildio'r Paith. Ac fel y creaduriaid ̄ fe droai dynion eu pennau'n ôl i gyfeiriad y cynefin a'u magodd.

Ysgyfarnog Patagonia

Gŵr ar gefn ceffyl yn Nhrevelin

V Llwybr yr Andes

Ar lwybr yr Andes yn naturiol y cafodd y nifer mwyaf o Wladfawyr eu profiad o'r Paith. Pwysig cofio na rannwyd y Wladfa'n ddwy, gan y cadwyd cysylltiad agos rhwng y Dyffryn a Bro'r Andes, er gwaethaf y pedwar can milltir rhyngddynt. Y ffordd ei hun a'r drafnidiaeth gyson arni a alluogodd gymdeithas y Dyffryn i gadw meddiant tynn ar erwau cyfoethog y mynydd—hi a sicrhâi y gellid ymweld â thiroedd pell a chadw llygad yn effeithiol ar bwy bynnag a'u gweithiai, hi hefyd a glymai gwlwm teulu'n dynnach, neu a hyrwyddai garwriaeth a phriodas rhwng deuddyn a drigai ymhell, bell yr un oddi wrth y llall. Dros y llwybr hwn hefyd y deuai'r nwyddau angenrheidiol i fwydo Cymry'r Andes, yn gorfforol a meddyliol, a siop y *Co-op* yn Nant y Pysgod yn fan cysylltiol pwysig rhwng y Dyffryn gannoedd o filltiroedd i'r dwyrain, Tecka i'r de, ac Esquel ei hun, yng nghysgod yr Andes, dros ddeg ar hugain o filltiroedd ymhellach i'r gorllewin. Yn ychwanegol at y teithio achlysurol i'r ddau gyfeiriad, ceid siwrneiau tymhorol cyson, pan ymwelai Cymry'r Andes â'u teuluoedd yn y Dyffryn yn adeg y gaeaf; neu dro arall

deuai'r to ifanc i lawr dros gyfnod i dderbyn gwersi, a gloywi'u
Cymraeg a'u Saesneg, yn ysgol D. Rhys Jones ac wedyn Mr. E.
T. Edmunds yn y Gaiman. Ni pheidiodd y siwrneio, er i rai o'r
achosion ac achlysuron newid. Bellach mae hi'n ffordd rwydd-
ach, a'r daith drwy'r awyr rhwng Trelew ac Esquel yn peri iddi
ymddangos yn dila ac islaw sylw. Fodd bynnag, deil y teithwyr
(boed yrwyr lorri proffesiynol, neu ymwelwyr ysbeidiol) i ddwyn
cyfarchion a negeseuon, a chadw'n loyw y llinyn arian rhwng
Cymry'r ddwy wladychfa.

Treuliodd sefydlwyr cyntaf yr Andes dri mis ar y ffordd, a
phan aned merch i un o'r teithwyr, dangosai'r enw a roed arni eu
hymwybyddiaeth o arwyddocâd hanesyddol y fenter—bedydd-
iwyd hi'n Mary Peithgan, am y ganed hi ar y Paith. Ar y daith
hon, ac eraill a'i dilynodd, cyfran sylweddol o'r pryder a'r gwaith
ydoedd y gofal am yr anifeiliaid a ddygwyd i fyny o'r Dyffryn i
sicrhau fod stoc ar gael yn y wladychfa newydd—cadw'r cread-
uriaid rhag crwydro neu foddi; tynnu'r wagenni'n rhydd o sugn y
llaid wedi'r glawogydd trwm. Cofiai Arthur Morgan, Esquel
(1972), yr hanes difyr am ei dad yn dwyn defaid i fyny i'r Andes
am y tro cyntaf, yn sgîl y fintai sefydlu. Buont am ryw ddwy
flynedd ar y ffordd, yn tywys y praidd o wyth cant ac ugain
llwdwn. Un drafferth oedd eu cael i groesi'r afonydd. Cafodd un
o'r fintai, John Henry Jones, a oedd yn nofiwr cryf, y syniad o
nofio dros afon, gan ddwyn un o'r hyrddod gydag ef yn sownd
wrth raff. Credai y byddai'r defaid yn dilyn yr hwrdd. Ond
diwedd y gân fu iddo ef gyrraedd yn ddiogel, i'r hwrdd gael ei
ysgubo ymaith a boddi, ac i'r defaid sefyll heb gyffro ar y lan
draw! Rhaid fu meddwl am well cynllun, a llunio rafft.

Gyda'r blynyddoedd byrhaodd hyd y daith, magwyd profiad,
a daeth y drafnidiaeth yn beth rheolaidd. Erbyn diwedd y ganrif,
yn ôl un amcangyfrif, deuai ar gyfartaledd bedwar cart, a
chwech o geffylau'n tynnu pob un, i lawr drwy'r dyffryn bob
dydd, wedi eu llwytho â gwlân o'r *Cordillera*, ceirt mawrion,
trymion, "a'u holwynion yn ddeng troedfedd o uchder, fel
amddiffyn yn erbyn y glaw a'r diluw yn y gaeaf, sy'n troi'r ffordd
yn gorsog iawn.'' Chwaraewyd rhan bwysig yn y gwladychu gan
John Henry Jones, a ddaeth yn gyfrifol am y ceffylau a'r mulod a
ddygai'r wagenni i fyny i'r Andes ac yn ôl, a'i ddyfodiad i'r myn-
yddoedd yn y gwanwyn mor sicr, a hir ddisgwyliedig, â dychwel-
iad y wennol bob blwyddyn. Fe gofid y drafnidiaeth honno'n glir

gan Sidney Jones, y Gaiman (1971), a fu am hanner oes yn
ddiweddarach yn feistr gorsaf rheilffordd y pentref hwnnw, ar y
lein i fyny i Ddôl y Plu. Ym 1918, pan oedd eto ond deunaw oed,
gweithiai gyda'r tîmau ceffylau a âi i'r Andes. Y dwthwn hwnnw
cymerent bedwar diwrnod ar hugain i gyrraedd Esquel, a phob
diwrnod yn hir, am fod gorfod rhoi diod i'r ceffylau mor aml ag
yr oedd modd, gan enbyted y gwres. Roedd dau geffyl, meddai
Sidney Jones, mor gyfarwydd â'r ffordd (ac â phroblem y syched)
fel yr aent ati yn y lle priodol i ddrachtio'n ddwfn o ddŵr yr afon
"nes eu bod nhw'n chwyddo allan fel llyffantod," am y gwyddent
fod *travesía* sych a llychlyd yn eu disgwyl!

Bellach darn o gof hen bobl yw taith llwybr yr Andes, a chan
mai profiad plentyndod ydoedd iddynt, fe'i gor-döwyd gan
ramant. Teithio yn y wagen liw dydd (ac eithrio croesi Hirdaith
Edwyn trwy awyr glaear y nos), a bwa cynfas y wagen uwchben
yn rhoi cysgod rhag yr haul. Wedi cyrraedd y *camping* a chodi'r
babell, mynd allan efallai i saethu petrisen neu ŵydd wyllt i roi
blas ar y cawl amser swper, ac yna, mynd i gysgu o fewn golwg i'r
tân *algarrobo*. Eluned Morgan a roes y darlun mwyaf teimladwy
o'r gwersylla hwn. Dyma sut y disgrifiodd hi yn *Dringo'r Andes* y
gwersyllfan cyntaf ar y daith, llecyn uwchlaw Tir Halen:

Yn swn murmur yr hen afon a chyfarthiad ambell lwynog
ddaethai o'i ffau i geisio ysglyfaeth, a chwhwfan dolefus
ambell golomen, buan y taena cwsg ei fantell dros y teithiwr
blin; a chwsg melus, iachus yw . . . Ond daw terfyn, rhy fuan
gan rai ohonom, i'r cyntun hyfryd hwn; pan fydd y cantwr
llwyd yn dechreu trimio ei edyn a chymeryd ei gyweirnod a'r
hwyaid gwylltion yn cael eu trochfa foreuol, daw gwaedd o
gysgod y llwyn—"*All hands on deck,* mae'r tegell wedi berwi
a'r ceffylau yn dod i mewn." . . . Mwynheir y boreufwyd yn
wastad ar y paith; nid oes yno neb a'i lygaid yn bŵl, ac yn
pigo'i fwyd fel aderyn; mae mor hyfryd ar doriad gwawr
hefyd, cyn gwres a lludded y dydd.

I'r teithiwr heddiw, daeth i ben ramant y gwersylla, ond rhaid
iddo o hyd godi'n blygeiniol iawn os am ddal y bws dydd, sy'n
teithio bob bore Llun rhwng Trelew ac Esquel. Os yw'n aderyn
nos gall wneud taith gyflymach o lawer ohoni, ond trwy hynny
cyll yn llwyr degwch y wlad, a chymdeithas bur anghyffredin y

Paith. Y bws dydd yn wir yw cerbyd post y ffordd ddiffaith hon.
Geilw heibio a gadael parseli a nwyddau yn y siopau a'r tafarn-
dai prin, sydd fel petai'n ffynhonnau'r diffeithwch. Daw trigolion
y Paith rai ligoedd ar gefn ceffyl i ddisgwyl pecyn, neu gyrchu
cyfaill. Mae'r teithiwr yn mynd i fyny yn y Gaiman am chwarter
wedi pump y bore, a gwynder dydd o haf efallai yn ymestyn dros
y dwyrain. Geilw'r cerbyd yn Nolavon cyn codi i wastadedd y
Paith, lle rhed y briffordd, heol wedi ei phalmantu dros ddarnau
helaeth ohoni, a graean caled, bras yn rhoi arwynebedd cadarn,
cyflym yn y rhannau eraill. Bellach, argraffiadau sydyn, gloyw,
fydd yn taro trwy'r ffenestri hael, gan frawddegu ac atalnodi'r
dydd. Yng ngolau'r wawr ymddengys y pyllau dŵr, sy'n drwm
gan heli, fel petai rhew ar eu hwyneb. Â sbloetsh lliwgar codiad
haul o'r tu cefn i'r bws, mae fel nofio allan o un o luniau Turner.
Gwelir cysgod y cerbyd, anghenfil hardd, yn ysgafn aredig y
gwastadedd, a golau'r haul o'r diwedd yn cydio yn yr ychydig
godiadau tir. Yn y pellter, trum tywyll na tharawodd y golau
arno eto. Ar y dde, peilonau trydan yn brasgamu fel milwyr dros
y gorwel. Bellach mae'r tir bron yn gwbl wastad, ac
adlewyrchiad y wlad o'r tu cefn yn y ffenestr yn cyd-redeg yn
berffaith ag amlinell y wlad o flaen y cerbyd.

Ymhen awr, dacw ddafad. Yna seintwar fechan mewn craig
yn ymyl y ffordd. Arwydd wedyn yr "Estancia Villegas," a'i
melin wynt yn erbyn gwacter y Paith. Ugain munud arall, a thŷ
arall, car yn ymyl hwn. Brawl a miwsig parhaus i'w clywed ar
uchel-leisydd y bws—Radio Chubut yn cyhoeddi angladdau
(rhaid claddu cyn pen un awr ar bymtheg ar hugain yn yr
Ariannin), a gwêl dyn yn ei feddwl bobl yn gadael eu gwaith yn
sydyn er mwyn talu'r deyrnged olaf i gyfaill neu berthynas; ac
yna negeseuon i hwn ac arall, "Hoy va Pepe por la tarde, por lo
hablado" ("Mae Pepe'n mynd y pnawn yma, ynglŷn â'r peth y
buom ni'n siarad amdano") . . . "Que retire las ovejas" ("Cered
â'r defaid o'r lle"). Bydd Radio Chubut beunydd yn cydio
poblogaeth wasgarog yn ei gilydd. Yma ar bellteroedd y Paith
daw'r lleisiau megis o fyd arall.

Am chwarter wedi saith, seibiant mewn caffe-garej cwbl
fodern. Tu allan cyfyd arwydd anferth y cwmni petrol fel Croes-
hoeliad yn erbyn y ffurfafen wag. Ail-gychwyn, bellach yng
ngolau dydd, lliw graean y ffordd lydan yn cynganeddu â llwyd-
frown yr amgylchfyd. Dacw gorff llo bach, neu *guanaco,* dim ond

Llywelyn Griffith, Gaiman

staen goch ei goesau ar ôl, y gweddill eisoes yn rhan o domen
organig y Paith. Deil lein fach haearn Dôl y Plu i redeg yn
gyfochrog â'r bws. Hi oedd y ffordd fodern o deithio, pan
chwysai'r ceffylau a'r mulod dros Hirdaith Edwyn. Erbyn
cyrraedd gwaelod y ddalen sych honno, gwelir arwyddion newid:
tir caregog, cnotiog, a'r graig yma a thraw wedi ceulo fel triogl
brwd.

Naw y bore yn Nôl y Plu (Las Plumas bellach). Oasis ddisyfyd,
tai, eglwys, caffe, ac yng ngwaelod y trip, tu cefn i'r rhwydwe o
goed, afon Chupat yn byrlymu heibio. Yma, yn y gwesty llwm,
arferai'r teithwyr, tan yn ddiweddar, dorri'r siwrnai a chysgu'r
nos. Am ei ystafell wely nododd R. Bryn Williams:

> Nid oedd dim ynddi ond dau wely, bocs i ddal cannwyll,
> ffenestr fach agored, a drws heb na chlicied na chlo iddo.
> Gadawsom y ffenestr a'r drws yn llydan agored, deuai goleuni
> lleuad lawn i mewn drwyddynt, a chysgasom yn drwm hyd y
> wawr.

Heibio i Ddôl y Plu, yr arwydd gyntaf o fodolaeth Esquel:
401 km., meddai'r postyn. Creigiau yma, a'r afon yn ymlwybro
rhyngddynt. Ond dacw darw bach pert, a cheffylau gosgeiddig
yr olwg. A phobl! O ble daethon' nhw, ac i ble maen' nhw'n
mynd? Yna'r un mor ddisymwth, llain lanio i awyrennau—
estancia ffermwr cefnog, mae'n rhaid. Bydd fflach dyfroedd yr
afon weithiau'n taro ar lygad y teithiwr, a rhuban glas yr helyg
yn nodi ei chwrs. Closia'r ffordd mewn un man at glogwyni
anferth, o liw coch cadarn, a rhyngddynt a'r afon ymestyn llwyni
crintach, ac ambell sbec o borfa.

Tuag un ar ddeg y bore, eir heibio i'r Allorau, pileri llwyd,
uchel, crwn, wedi'u hysgythru gan grafiad oesol y gwynt—un o
ohebwyr y *Dravod* ers llawer dydd wedi gweld ynddynt ôl llaw'r
pensaer mawr "gyda'r llinyn mesur a'r blymell"! Gyrrwr y bws
—gŵr o awdurdod tawel, urddasol—yn canu'i gorn i gyfarch
teulu a saif wrth ddrws bwthyn yn ymyl y ffordd. Cânt fynd
bellach at eu gorchwylion, a digwyddiad mawr y dydd o'u hôl!

Ymhen yr awr codi i un arall o lwyfannau'r Paith. Mor debyg
y wlad o'n blaen i honno a adawsom, a'i gerwinder bellach yn
lesni ar y gorwel. Tybed ai'r Andes yw'r rhes o fynyddoedd sy'n
ymgodi, yn bell, bell? Mae'r bws erbyn hyn wedi cefnu ar Ryd yr

Indiaid, lle dywedwyd ffarwel wrth afon Chubut, sy'n rhoi tro sydyn yma i gyfeiriad y gogledd.

Am hanner awr wedi dau, yng ngwres y prynhawn, ail-gychwyn pendympiog ar ôl awr ginio flasus mewn hotel yn anenwedd y Paith. Cofio sut y bu i droeon yr yrfa yn y fro wag hon lunio o leiaf rai enwau, sy'n anfarwoli rhyw nodwedd, neu ddigwyddiad digrif, neu helbulus: Pant-y-Ffwdan, Y *Ginbox* Bach, y *Camping* Hesg. Ac onid am yr ardal hon y sgrifennai un o ohebwyr y *Dravod* ym 1897, wrth gwyno am y ffordd, ei bod hi "yn droellog, glonciog, gerygog, dripiog, a('i) diwedd yng ngolgotha y Carro-roto"? Fe ganai'r *gaucho* mai ei fôr ef oedd y Paith—yma ar y *Pampa de Agnia,* lle bu llawer i *gaucho* o Gymro yn hela, gellir yn rhwydd ddychmygu'r cyfnod pell pryd y curai'r môr ar greigiau'r *cordillera,* gan adael ei froc o ġregyn a thywod o'i ôl, yn yr un modd ag y gadawodd hanes diweddarach ei froc o atgofion, ac enwau. Cyfarch tri *gaucho* yn marchogaeth yn stiff urddasol. O gylch, mae'r crastir yn felynnach, ac ambell dwmpath crwn o lesni yn tarddu ohono. Stopio i godi rhywun. Blwch pôst yn ymyl y ffordd. Gŵr a gwraig a cheffyl wedi dod i gyrchu teithiwr, o'u hôl dim ond llwybr cyfrwy caled yn dirwyn hyd at y gorwel. Y ffordd mwyach yn llychlyd iawn. Yn awr ac yn y man cyfyd cwmwl o lwch, fel colofn fwg Moses, ymhell o'n blaen—cerbyd arall, a hwnnw o'r diwedd yn bowlio heibio gan gyfarch yn swnllyd. Daw *gaucho* i fyny i'r bws, y *bombachas* (llodrau llawnion llwyd-ddu) amdano, jersey ysgarlad, a mwffler wlanen am ei wddf.

A phaladr haul yn dechrau gogwyddo, dyma gyrraedd hafnau ysgythrog y *Sierra de Languiñeo,* ac ardal Kitsawra—"piping Kitsawra," meddai Eluned Morgan, gan ddyfynnu rhywun neu'i gilydd, lle enwog am ei wyntoedd, a'r rheini wedi cadw'r awdures yn ei phabell am ddeuddydd ar eu hyd. Troi a throsi i lawr rhiw nes taro ar lwyfan arall llydan. Yma yn rhywle digwyddodd brwydr fawr rhwng y Tehuelchiaid a'r Araucaniaid, a disgleiria esgyrn y meirw o hyd yn yr haul. Bellach ceir cefnlen hardd i'r holl olygfa, copaon uchel yr Andes, yn wyn gan eira, a breuddwydiol gan bellter. Trodd y mynyddoedd agosaf yn las tywyll ac indigo, a'r esgeiriau gwelltog yn lliw mêl.

Erbyn chwech o'r gloch disgyn i ddyffryn ffrwythlon Nant y Pysgod, lle tardda afon gref yn sydyn o'r sychtir. Pellhaodd yr Andes fel breuddwyd, a dyna'r teithiwr yng nghanol gwarineb amaethu, yr afon lefn yn dyfrhau'r porfeydd, y rhesi poplys yn arwyddo *esprit de géometrie* yr hil ddynol. Ymlaen trwy'r dyffryn cul. Barcud yn croesi llwybr y bws, a'i adenydd yn simsanu fel cwch yn gadael glan. Codi toc, a gweld eilwaith y copaon, a'r eira arnynt yn stribedi eglur. Trwy adwy ceir cip ar fynyddoedd uwch, a'r eira'n hongian yn is ar eu hysgwyddau. Hawdd dychmygu teimladau "gwŷr Fontana" wrth sylweddoli nad gwag mo'r stori gan yr Indiaid fod Afon Chupat yn tarddu mewn gwlad doreithiog yng nghysgod y mynyddoedd. Ond unwaith yn rhagor llithrodd tir yr addewid o'r golwg, erys eto esgeiriau eraill i'w croesi, llwch a phoer eto i'w llyncu. Dyma ddisgyn o'r diwedd trwy'r cyfnos i ddyffryn tawel Esquel. Mae'n hanner awr wedi saith, a phedair awr ar ddeg o siwrnai o'r tu cefn i'r teithiwr. Eto mor gyflym a chlyd y daith o'i chymharu â honno drwy'r anialwch dros bedwar ugain a deg o flynyddoedd yn ôl.

*   *   *

Yn ddiarwybod i'r Cymry a'i trafaeliai, arweiniai Llwybr yr Andes yn ôl at hen fywyd gwlad Ariannin. Yma yn y mynydd-oedd, ymhellach o lawer i'r gogledd, yn ninasoedd Mendoza, San Juan a Córdoba, ac yn ardaloedd ffrwythlon Tucumán a Salta, y dechreuodd bywyd gwladychol yr hen ymerodraeth Sbaenig ffynnu yn yr unfed ganrif ar bymtheg. Nid oedd Buenos Aires yn bod nes ei hail-sefydlu ym 1580, ac ymron ddwy ganrif yn ddiweddarach ni fyddai'n ddim byd mwy na phorth-ladd bach cyfleus ar y córidor hwnnw a arweiniai o Fôr Iwerydd i ganolfannau cyfoeth y mynyddoedd, gyda'u cyflenwad o win, siwgr, gwenith, gwartheg, defaid a mulod, ac heibio i'r ardal-oedd hynny hyd at olud diddiwedd mwynfeydd arian Potosí. Prin y buasai'r arloeswyr Cymreig wedi medru adnabod eu bod yn y fath olyniaeth, na gwybod sut y bu i geirt eraill yr un mor drymion, a wagenwyr eraill yr un mor ddi-amynedd, ffri, deithio, ar hyd y canrifoedd, rhwng môr a mynydd. Mewn gwir-ionedd, bu gwladychwyr y naill genedl a'r llall â'u bryd ar yr un pethau; ar diroedd, ar fasnach, ar gyfoeth. Yr oedd ganddynt hefyd yn gyffredin yr un argyhoeddiad fod eu crefydd yn rhagori ar yr eiddo arall, ac mai rhan o'u dyletswydd ydoedd cenhadu ymhlith yr Indiaid. Eithr y peth sylfaenol a glymai brofiadau Pabydd y bryniau a'i frawd o Anghydffurfiwr ydoedd i'r ddau, mewn gwahanol gyfnodau, lwyddo i drawsnewid bro, gan ei diwylltio a'i ffrwythloni. A thrwy eu masnach estynnwyd eu cyfoeth ar y ddau du i wrthglawdd yr Andes.

Estrys

Gyrru'r Gwartheg, Cwm Hyfryd

VI   Cofiannau'r Paith

Gwir na chyfarwyddodd y Cymry (yn wahanol i Albanwyr y
Tierra del Fuego) â'r syniad o drigiannu ar y Paith. Bro i fynd
drosti ydoedd, man i achwyn pa mor enbyd y gwres, neu ba mor
gethin y gwynt a'r glaw. Ar un olwg gofod anffodus ydoedd
rhwng dau bwynt. Serch hynny, trefnodd ffawd i rai o'r Cymry
dreulio tipyn o'u hamser yno, a chofnodwn yma dri phrofiad,
digon gwahanol i'w gilydd, sydd yn dystiolaeth ddilys i fath o
fywyd, ac o loywder ysbryd. Efallai ei bod hi'n nodweddiadol o
berthynas y Cymry â'r Paith i'r tri yma ddychwelyd i'w hen
gynefin yn y Dyffryn neu'r Andes, ond buont yn yr anialwch yn
ddigon hir hefyd i brofi'r bywyd, ac i hwnnw eu profi hwy.

*   *   *

Enw'r cyntaf yw Ehedydd Iâl Jones, "gŵr Irma" (golygydd y
Dravod). Bellach (1972) dros ei drigain oed, bu ers blynyddoedd
lawer yn ffermio yn Nhreorcki ar lawr y Dyffryn. Ond gellir yn
rhwydd ei ddychmygu fel un o'r *gauchos*—erys o hyd yn gawr
cydnerth, a symuda nid yn arafaidd fel ffermwr a ŵyr y bydd ei

erwau'n ei ddisgwyl ben bore, ond gyda rhuthm dyn a arferai ateb yn sydyn, wedi llonyddwch llwyr, i alwad ddirybudd. Y mae bwrlwm ei siarad hefyd yn afrwydd a chyflym, a delir weithiau, yn ei lifeiriant, arlliw'r Sbaeneg, fel dŵr llwyd yng ngrisial ei leferydd. Dywaid ei hanes yn eistedd wrth y bwrdd te. Torrir weithiau ar yr ymddiddan gan sŵn cyfarth y ci, a chan ymweliad gŵr dieithr a alwodd ynglŷn â phrynu rhai o'r ŵyn. Bu wrthi'r prynhawn hwnnw yn lladd oen a'i baratoi ar gyfer gwneud asáw y dydd canlynol:

"Mi es i i'r *camp* wedi llif mawr 1924. Roedd gan fy nhad *gamp* go helaeth—un o'r ychydig Gymry o'r Dyffryn a arferai gadw gwartheg yno. Y drefn oedd fy mod innau'n edrych ar eu hôl, a chael doler y pen bob mis—a roedd gynnon' ni ryw un cant undeg saith o wartheg, eh! Ac ar ben hynny rown i'n cael hanner pris pob creadur a werthem. Arian da y pryd hwnnw a chrys yn costi dau ddolar. Roedd y ddolar yn werth, nid fel heddiw, ac esgidiau'n costio miloedd o ddoleri! Byddwn i'n dod yn ôl i Ddolavon ryw unwaith bob tri mis i weld y teulu, ac ar ddiwedd blwyddyn yn dod â trŵp o ryw ugain o wartheg i'r Dyffryn i'w gwerthu ar gyfer eu lladd. Roedd y *camp* ar y ffordd i *Los Pozos*, mewn man lle roedd 'na hen Indiad wedi ffeindio dŵr, digonedd o ddŵr hefyd, ryw wyth mitar o'r llawr, ac wyth mitar arall o ddyfnder. Yno roedd y *pozo* ar gyfer y dŵr, a phwced, *balde volcador*, i'w godi. Roedd rhaff o groen yn sownd wrth y bwced, ac unwaith ichi ddechrau ei godi, byddai pwysau'r dŵr yn cau'r twll yn ei waelod. Ceffyl, a'r rhaff yn sownd wrth ei *sinsh*, fyddai'n tynnu, ac wedi i'r bwced godi i uchter y pwli, byddai'r dŵr yn tywallt i'r tanc. Yna'n ôl â'r bwced i waelod y *pozo*. A real jobyn, cofiwch. Gyda'r nos byddem ni'n chwarae cardiau, a'r un a gollai fyddai'n codi dŵr y bore wedyn. Ac os oedd gynnon' ni drŵp go fawr, wel byddai'r creadur a gollodd wrthi drwy'r dydd yn codi dŵr, yn mynd yn ôl ac ymlaen gyda'r ceffyl a'r rhaff. O ie, roech chi'n watsho'ch cardiau!

A fanno byddem ni'n byw, yn cysgu yn y shanti *zinc*—*zinc* i gyd, ond ein bod ni'n rhoi *zampas*, celyn, amdano yn y gaeaf i gadw'r glaw a'r oerfel allan. Mynd allan wedyn bob dydd hefo'r anifeiliaid. Yn yr hwyr gwneud tân *algarrobo* a rhostio cig arno, digonedd o gig bob amser. Dim ond yr ych, neu'r heffar, gorau fyddem ni'n lladd, ac wedyn torri'r cig yn *strips*, rhoi halen arnyn' nhw, a'u rhoi i sychu yn yr 'aul. Fyddem ni'n mynd â

blawd hefo ni o'r Dyffryn, a *hops*, burum mewn potel, a gwneud
ein bara'n hunain. Byddem ni'n ei wneud o mewn dwy ffordd. Y
tortas fritas heb furum. Gwneud y toes ar ben y *lona*, a'i dorri'n
triángulos, rhoid twll bach yn y canol er mwyn i'r saim berwedig
gael mynd trwyddyn' nhw. Rhoi'r saim i ferwi mewn crochan
mawr haearn ugain litar, rhoi'r darnau toes i mewn, a phan fôn
'nhw'n barod, eu tynnu nhw allan hefo pren main, main fel
mynawyd. Gwneud y bara arall yn y lludw. Hel cols y tân at ei
gilydd, rhoi carreg fflat ar eu pen nhw, rhoi'r toes, heb *molde,*
tun, ar ben honno. Yna darn o *zinc* yn do bach dros y cyfan,
coedyn tew *algarrobo* o'r tân tu cefn i'r twll, yna tynnu'r lludw
dros ben y cwbl, a'i adael o yno trwy'r nos. Oedd e' ddim yn
llosgi, eh? Oedd dim tân yn twtshad ynddo fo, dim ond gwres.
Ei dynnu o allan yn y bore, a'i adael tan ganol dydd. Roedd blas
da ar hwnnw, yn enwedig pan o'ch chi yn bwyta allan.

Pan fyddem ni'n mynd allan am y dydd, byddem yn rhoi ein
bara a'n cig, yr *yerba*, a'r holl fwyd ar gyfer y diwrnod, yn y
maleta, y waled. Cariem y dŵr mewn *goma*, tiwb rwbar olwyn
cerbyd—torri'r *válvula* i ffwrdd, wyddoch chi, a rhoi'r dŵr i
mewn trwy'r twll. Ar ein cyfer ni oedd y dŵr; fe fyddai'r anifeil-
iaid wedi cael eu dŵr o'r ffynnon. Bydden' nhw ddim yn crwydro
ymhell yn yr haf, gan fod dim dŵr ar gael. Ond yn y gaeaf, pan
fyddai digon o ddŵr ac o borfa, fydden' nhw'n crwydro, a
chrwydro. A ninnau'n gorfod eu tracio nes dod o hyd iddyn'
nhw, a'r un a'u cafodd nhw yn cynnau tân fel arwydd—tri mwg
fel arfer. Yna pawb yn gwneud ei ffordd yn ôl i'r *camp.* **Ond**
weithiau, fe fyddai'r gwar` theg yn mynd ymhell, bell. Cofio
unwaith am wartheg gwyllt a oedd wedi dod o bellter ffordd, ac
wedi mynd yn ôl i'w *querencia,* i'w hen gartref. Buom ni allan
am saith diwrnod yn eu hel.

Wrth gwrs, byddem ni'n gorfod cysgu allan y nosweithiau
hynny, a gwneud ein *camping* gyda'r anifeiliaid. Erbyn y wawr
bydden' nhw wedi dechrau crwydro. O, roedd rhaid ichi godi'n
fore, fore. Ond noson o olau leuad oedd waethaf—fe fyddai'r
gwartheg yn dianc! Ond os oedd gynnoch chi drŵp a thipyn o
ffordd i fynd—o Los Pozos i Ddolavon, dywedwch, yna'r peth i'w
wneud oedd eu gyrru nhw yn gyflym o'ch blaen. Teithio, teithio,
teithio. Ar y dechrau maen' nhw'n trotian, trotian, ond yn y
diwedd dyna nhw'n blino, ac yn dechrau sefyll. Un yn gorwedd,
ac yna un arall. Cyfle wedyn ichi ddechrau gwneud bwyd, a

gorffwys. Ac ar ddiwedd y dydd, gwneud eich *camping*. Gorwedd lawr weithiau'n botsh o flaen y tân ar ôl cael bwyd. Ac weithiau yn y gaeaf, mynd i gysgu yn yr eira, y *lona* dros eich pen. Deffro yn y bore a theimlo pwysau'r eira yn drwm ar y *lona*, ei godi a theimlo'r eira'n chwythu i mewn. Rown i'n gynnes y tu mewn i'r crwyn, a'r *quillango*, a'r *lona*—ond codi, roedd hynny'n anodd!

A dyna stormydd! Cysgodi yn un o ogofeydd y creigiau, fel 'tasech chi mewn tŷ, a gweld y glaw'n tasgu dros bared y graig. Ond ar brydiau byddai'r storm yn eich dal chi allan ar y *camp* agored. 'Allech chi ddim cael cysgod yn unlle. Dim byd amdani ond aros yno, neu fynd yn eich blaen. A'r cenllysg! Gwneud eich ffordd gyda'r trŵp yn erbyn y gwynt, a'r cenllysg yn chwipio, a'r anifeiliaid yn ceisio troi er mwyn cael mynd y ffordd arall. Jer!

Cwmni iawn, cofiwch, a lot o sbort. Lot o sbort! Chwarae triciau, a gwneud jôcs. A weithiau ar adeg marcio byddai 'na lawer ohonom, rhyw bymtheg neu ugain, yn dod o'r *camp*, yn dod o bob man, pob un a'i *lazo*, ar ôl clywed fod *marcación* i fod fan a'r fan y diwrnod hwnnw. Mynd ati wedyn i *pielar*, dal yr anifail wrth ei bawen flaen gyda'r rhaff, a'i farcio yn y man.

Rown i'n *socio* hefo *Norwegian*, ni'n dau. Ond 'nhad wrth gwrs oedd piau'r *camp*. Roedd e'n *gamp* neis hefyd, un mawr, wyth lig bob ffordd. Es i'r *servicio militar* i Buenos Aires am flwyddyn. A gadewais y ffrind yma i edrych ar ôl 'y ngwartheg tra byddwn i ffwrdd. A marc fy nhad oedd genny', cofiwch. *Bueno*, popeth yn iawn. Mi es i ffwrdd. Des i'n ôl ar yr *ocho de marzo*, a dyma fy chwaer yn dweud wrtha' i: 'Paid â mynd i'r *camp*. 'Does gen't ti ddim yno. Mae e' we'di gwerthu'r cwbl. Dy *socio* sy wedi gwerthu pob peth.' Trwy lwc, roedd y gêr a'r ceffyl-au o hyd genny' yn y tŷ, ond mi gollais bob peth arall, y gwartheg, y tanc. Roedd y *socio* wedi twyllo 'nhad. Ei gael i seinio, heb sylweddoli, *certificado* yn rhoi hawl i ddod â'r anifeil-iaid a marc 'nhad arnyn' nhw lawr i'r Dyffryn. A'r adeg hynny y sefais yn Nhreorcki. Doctoriaid o Drelew sy wedi prynu'r *camp*. Pasiais i'r lle dro'n ôl. Mae 'no le neis, eh? *Chalet* a'r cwbl, a melin wynt i godi'r dŵr. Ond awn i byth yn ôl 'no i fyw. Meddyliwch chi, 'taswn i wedi mynd yno wedi dod adref o'r *servicio*, a mynd i'r un twll. *¿Qué sé yo?* A'm bod i'n dlotach neu beidio, mae'n well genny' fod yma. Wrth gwrs, roedd pethau'n wahanol yr amser hwnnw—dim radio, dim cerbydau, dim byd.

A roedd yr amser yn pasio, a dyn ddim yn meddwl dim. Felly roedd hi i fod, ynte! Roedd hi'n fywyd iach, cofiwch. Allan ymhob tywydd, a ddim erioed wedi bod hefo doctor. Ychydig oe'ch chi'n feddwl am ddim byd. Codi yn y bore a mynd i weld yr anifeiliaid, gweld a oedden' nhw yno i gyd, dod yn ôl a bwyta, a mynd i gysgu, dyna fo. Popeth wedi pasio! Dim amser i feddwl oe'ch chi'n hapus neu ddim yn hapus."

*   *   *

Gwraig fechan, hardd yw Mrs Christmas Jones, yn byw bellach ym mhentref Trevelin, mewn tŷ cyfagos i gartref ei mab. Saif ar ganol beili bach sy'n codi ychydig uwchlaw'r pentref, fel caer yn herio dinistr. Wrth sgwrsio mae Mrs Jones yn eistedd yn ei pharlwr, ei llyfrau, ei chreiriau, a'i hatgofion o'i chylch. Clywir sŵn Sbaeneg mewn ystafell arall, ond yma mae popeth yn Gymraeg, wal ddiadlam arall. Nid yn Nhrevelin y mae ei gwreiddiau hi, gan iddi dreulio ei blynyddoedd cyntaf yn ardal Rawson ger aber afon Chubut, a hanner canrif wedyn o'i hoes ar y Paith, ger Herrería, yn nhueddau gwlad yr Andes. Ond y mae ganddi berthnasau yng Nghwm Hyfryd, gan mai yma y daeth ei mab Fred i fyw wedi iddo briodi ag un o'r merched Griffiths a ffermio yn Nhroed yr Orsedd. Yma hefyd y gwreiddiodd cangen arall o'i theulu, a gynrychiolir bellach gan Ricardo Berwyn. Ac fel y mae'r enw hwnnw'n awgrymu, daw hithau o linach fonheddig yn hanes y Wladfa, gan ei bod hi'n ferch i R. J. Berwyn, un o sylfaenwyr y wladychfa, a sefydlydd un o'i phapurau newydd, *Y Brut*. A mae'r ymwybyddiaeth o linach a gwasanaeth yn estyn yn ôl ymhellach, i Ddyffryn Ceiriog, a Phont y Meibion, a theulu'r bardd Huw Morus. Bellach (1972) mae hi'n bedwar ugain a dwy oed, a'i meddwl yn fwrlwm o atgofion personol a theuluol, sy'n mynd yn ôl i sefydliad y Wladfa:

"Un o Sir Fôn oedd mam. Roedd hi'n nyrs hefo teulu Lewis Jones yng Nghaergybi, a phan aeth i Lerpwl gyda nhw ar gyfer paratoi i fynd i Batagonia, dyma'i chariad, David Williams y teiliwr, yntau hefyd o Gaergybi, yn gwerthu'r cwbl a mynd ar ei hôl. Ond ar ôl iddo lanio ym Mhorth Madryn, fe aeth ar goll ar y *camp* y noson gyntaf, a bu farw o newyn a syched. Priododd mam wedyn â Twmi Dimol, ond aeth ef ar goll yn *wreck* y llong fach *Denby,* a chafwyd ei weddillion ar y lan ymhen tair blynedd, a'i adnabod o wrth watsh aur Abram Mathews a gariai mewn tamaid o *lona*—yntau wedi addo dod â hi o Carmen de Patagones ar ôl cael ei thrwsio. R. J. Berwyn oedd yn gofrestrydd yn Rawson, ac ef a briododd Twmi. Ond wedyn, ar ôl marw Twmi Dimol, fe briododd â mam: roedd 'nhad arfer dweud wedyn ei fod 'wedi priodi'r hen frenhines ddwy waith'. Roeddym ni'n dyaid mawr o blant, dau o blant Twmi a phlant 'nhad. Rwy'n cofio 'nhad yn iawn, achos roeddwn i'n arfer mynd o'r Berllan Helyg i'r ysgol ar gefn rhyw hen fachgen erbyn naw o'r gloch, a chael cinio wedyn ganol dydd yn y stôr, y Llyfrfa, lle roedd 'nhad yn gofalu am y post, ac yn gwerthu llyfrau Cymraeg. Un tawel iawn ydoedd o, byth yn codi'i lais, a chanddo farf fawr. Rydwi'n ei gofio'n iawn: bu farw yn bedwar ugain ac un oed.

Daeth bachgen o Lundain i'r Wladfa i fyw yn bedair ar ddeg oed: ei enw oedd Charlie Green. 'Doedd ganddo fo ddim Cymraeg, ond fe ddysgodd yn fuan iawn. Roedd o'n ffrindiau mawr ag un o'm brodyr, a phan glywodd o'r newydd fy mod innau wedi cael fy ngeni, dyma fo'n deud wrtho: 'Chwaer arall? Oedd gennot ti ddim digon, dwad?' A phan own i'n ddwy ar hugain oed, fe briot'som â'n gilydd, Charlie a finnau, a mynd i fyw ar y *camp,* i fyny yn ymyl La Herrería, ryw bymtheg lig o'r ffordd fawr. Mae o'n lle mawr, La Primavera, wyth lig bob ffordd, ond 'dydy' o ddim yn *gamp* da, cofiwch, dim ond lle i ryw bum cant o ddefaid. Roedd gynnom ni ddau o weision, pethau duon, ynte. A phan oedd fy ngŵr byw, rown i'n mynd allan hefo fo ar geffyl, mynd yn y bore, a dod yn ôl erbyn cinio, neu fynd ar ôl cinio, tua dau, fel 'na. Roedd o'n fywyd difyr o lawer, oherwydd rown i gyda'r un gorau oedd genny' yn y byd, 'y mhriod.

Roedd e'n lle unig iawn, cofiwch. 'Fu's i yno unwaith am naw mis heb weld yr un wraig arall. Ond 'doeddwn i ddim yn ei gael o'n fywyd unig o gwbl. Roedd genny' ddiddordeb, yr *interest* mewn dod ymlaen yn y byd yma. A wedyn dyna *querido* Fred—roedd genny'r gwaith o edrych ar ei ôl ef, yr unig blentyn. Saith mis oedd o pan gollais ei dad. Cer i nôl y llun mawr yna—tynnais o allan y bore yma, i iwsio fo.''

(Cyfeirir y geiriau at y ferch fechan, un ar ddeg oed, dlos odiaeth, o'r enw Norma López, a fu'n gwrando'n astud ar sgwrs "nain". Mae hi'n siarad, ac yn adrodd, yn Gymraeg. Magwyd hi, fel ei mam o'i blaen hi, fel un o'r teulu. Ond dywaid "nain" fod y fechan wedi colli tipyn o'i Chymraeg oddi ar i'r fam briodi. "Mae'r fam," meddai, "yn darllen *Y Cymro* gystal â mi." Saib tra'n chwilio am y llun. Tipiadau trwm y cloc, ac yn y cefndir fiwsig radio o'r gegin gefn.)

"Ond rown i'n cael cwmni weithiau. Yn mynd lawr i'r Dyffryn a gweld y teulu. Mynd lawr hefyd dros y Nadolig neu'r Flwyddyn Newydd, neu i werthu'r gwlân. A'r adegau pan fu rhyw ferch hefo mi ar y *camp*, 'fyddem ni'n cynnal Ysgol Sul. Ac wrth gwrs roedd genny' gwmni Fred tan oedd o tua phump i chwech oed. Ac yna fe aeth i'r ysgol i'r Hen Wlad, ond cafodd ddysgu tipyn o Saesneg gyntaf gyda hen ffrind i'r teulu, Arthur Dodd.

Roedd gynnom ni bob peth ar y *camp*. Tir da, a choed ffrwythau, a gardd lysiau. Rown i'n dod â'r dŵr i ddyfrio o bellter ffordd ar hyd ffos fach yn arwain o'r nant, ac wrth gwrs yn y gaeaf roedd yno ddigon o eira. Ond at iws y tŷ roedd yno bydew, a'r bwced *volcador*—finnau am oriau hirion yn mynd yn ôl ac ymlaen ar gefn y ceffyl, ac yn codi ac yn twmblo'r bwced. Defaid a chesyg oeddem ni'n gadw—ac yn eu cadw o hyd. A rhai gwartheg hefyd o gylch y tŷ: roedd 'na gae yno lle gallent fynd i gael dŵr. Yn naturiol roedd 'na ddigonedd o gig, a llefrith, ac ymenyn, a chaws—caws ffres hyfryd, ond fod peth ohono'n caledu, ac yn cael ei gadw. Ac yn yr ardd tyfem datws neis iawn, cabaetsh, a moron, a maip, a dail *acelgas*—malu'r rheini a'u sychu at y gaeaf. Wrth gwrs roedd gofyn mynd i siopa weithiau —unwaith y flwyddyn. Aem i lawr i nôl sacheidiau o flawd a siwgr, a dod â nhw yn y *waggonette* i'r *camp*.

Yr amser cyntaf hefo fy mhriod, dyna pryd oedd hi'n ddifyr. Ond cafodd Charlie'r *typhoid* yn Nhrelew, a dod i fyny i'r Andes ata' i yn ei *fever* i gyd. Rown yng nghartref tad Ricardo Berwyn, y Parc Unig, ar y pryd, a dyna lle'r aeth o. Bu raid gyrru am y doctor i Jacobacci, ddau can milltir i ffwrdd, ond ddaeth o ddim mewn pryd. Ond cafodd Charlie gyfle i drefnu pethau cyn iddo farw, rhoi *capataz* yng ngofal y fferm, a chael cymorth Cymro arall. A, wyddoch chi, rwy'n dal i gymryd diddordeb yn y lle. Ond llai nawr rwy'n byw fan hyn yn Nhrevelin . . . 'Ddoist ti o hyd i'r llun yna, dwad? . . ."

*   *   *

Nid peth diweddar yw'r stansias anferth ar y Paith, ac amryw ohonynt yn nwylo Prydeinwyr. Ceir disgrifiad o'r moeth a'r helaethrwydd yn un o adroddiadau'r *Dravod* ym 1916, darn o'r hanes am daith drwy'r diffeithwch mewn car modur. Hwn oedd y criw difyr a aeth i helpu rhyw gyd-fforddolion ger Nant y Pysgod, a gorfod yn y diwedd gyd-gysgu yno yn dorf o bobl, a naw ohonynt, y dynion, ar lawr y gegin; "a chyfynged ydoedd yr ystafell hono i gynifer, fel y bu raid i ddau ohonom daenu ein gwely ar y bwrdd yno! a chysgu yn effro a fu raid i'r agosaf i'r erchwyn drwy'r nos, rhag ofn i'r cymrawd oedd wrth y pared roi hergwd iddo dros yr ymyl—a thrwy hyny beryglu bywydau gweinidog a blaenor, oeddynt yn chwyrnu deuawd hir, hir ar y llawr o danom."

Pur wahanol oedd y ddarpariaeth a gawsai'r cwmni rai dyddiau ynghynt ger Leleque. Yno, wedi croesi ffin y fferm, rhaid oedd teithio drigain milltir ar ei thir cyn cyrraedd y tŷ. "Cwmni Saesneg yn Llundain biau'r fferm braf hon sy'n mesur miliwn o aceri; ceir arni dros gan mil o wartheg, yn agos i ddau can mil o ddefaid a rhai miloedd o gesyg, ceffylau a mulod; rhifa y gweision—indiaid a chilenos gan mwyaf, ddau gant— . . . ond Prydeiniaid yw'r holl swyddogion ac Arolygwyr." Ac yno, yn wŷr gwadd i'r Rheolwr, cawsant bopeth, "yn ymborth a gwelyau fel mewn gwesty ffasiynol yn un o'r trefi yma."

Sylwyd eisoes i rai Cymry fanteisio ar arfer y stansias hyn o gyflogi "Prydeinwyr". Yn eu plith gellir rhestru Mrs Megan Rowlands, sy'n byw yn Esquel. Gwraig hardd, ddeallus, dros ei hanner cant oed, a chanddi Gymraeg cyfoethog y Bryn Gwyn, lle maged hi. Bellach (1972) yn wraig weddw, ceidw hi, a'i mab Elfai, *pensión* syml, croesawus, sy'n gartref cynnes i ymwelwyr o'r Dyffryn. Ni adroddodd ei stori yn un rhimyn fel y ddau arall yn y bennod hon. Yn hytrach fe'i distyllwyd fesul tipyn, dros gyfnod o ddyddiau (a hynny wrth un neu ddau a letyai yno), rhwng y mati a'r coffi boreol, neu ar yr awr foddog honno wedi swper nos, ar ôl clirio efallai weddillion y brithyll a'r samwn, a dwyllwyd mor bert gan Elfai y diwrnod hwnnw yn nyfroedd yr Afon Fawr, neu Futalaufquen. Dyna'r rheswm paham y rhoddir yr hanes yma yn y trydydd person. Eithr stori Megan Rowlands yw hi, a rhaid fydd i'r darllenydd ymwrando drosto'i hun â'r llais soniarus, gan ddychmygu'r llygaid a befriai fel eirin gloyw, a'r pen a'r breichiau'n symud yn egnïol wrth atalnodi'r sgwrs.

Cyn dod yma i fyw, bu Megan yn gwasanaethu ar un o stansias y Paith, yng nghwmni ei gŵr William Rowlands. Treuliodd un flynedd ar ddeg ar y *camp*. Wedi priodi buont yn ffermio am dipyn yn y Dyffryn, ond ychydig o hwyl a gaent arni, gan fod y prisiau mor sâl. Dyna sut yr aethant allan i'r Paith, gan drïo'u lwc yn y Pampa Chica, ger Tecka (tua hanner can milltir i'r de-orllewin o Esquel), lle bu amryw o Gymry'n gwasanaethu o'u blaen. Roedd hi'n stansia ddiogel ei maint, yn un o'r chwe neu saith ym meddiant y *Tecka (Argentine) Land Company Ltd.* Yn ôl Mr Mackenzie, y Rheolwr, roedd Pampa Chica tua'r un faint â Phrydain Fawr, a chyflogai rhwng cant a chant a hanner o weision. Gofalai Mr Rowlands am y stôr, a bu Megan dros gyfnod yn helpu gyda'r coginio, a chadw tŷ i un o'r swyddogion, y *proveedor* (arlwywr). Ond pan apwyntiwyd ei gŵr yn aelod o'r *administración,* nid oedd wiw iddi ddal i weithio, gan yr ystyrid hynny'n amharchus. Roedd gan y Rheolwr ei dŷ ei hun, a thŷ arbennig i wŷr yr *administración*, a oedd yn cynnwys pedwar cyfrifydd, a chwech o swyddogion uchel. Nid oedd prinder dwylo i ofalu am y "bobl fawr", gan fod *chauffeur,* garddwr, dyn arall at y blodau, un eto i dorri coed, ac un i ofalu am y ceffylau. Ar fferm mor anferth rhaid oedd wrth drefn a dosbarth. Rhennid y gweithgarwch yn wahanol *secciones,* a *capataz* ac un, neu ddau, neu ragor, o ddynion dano, a phob *sección* yn gofalu am y wedd arbennig honno ar y fferm. Âi wyth o weision o gylch, er enghraifft, i fwrw golwg barhaus ar gyflwr y defaid. Byddai dau *comparsa* (giang) o bedwar dyn yn crwydro'r ffiniau drwy'r flwyddyn i weld fod y ffensys yn gyfan. Gofalai dyn arall am y *cabaña,* hynny yw holl fusnes cenhedlu'r stoc newydd, a dynion eraill eto yn gweithio dan hwnnw. A chan fod angen bwydo peth stoc yn y fan a'r lle, gofalai un *capataz,* ynghyd â phedwar neu bump o weision, am godi'r gwair ar eu cyfer.

Os oedd yno ddigonedd o waith, ceid digonedd o gyfleusterau hefyd. Cynhyrchai'r stansia ei thrydan ei hun, a cheid arni lawntiau tennis, pwllyn nofio, a chyfle i chwarae *billiards,* cardiau a *darts.* Er eu bod yng nghanol yr unigedd, roedd yno ddigonedd o gwmni, ac heblaw'r bobl a ddeuai heibio i brynu a gwerthu, galwai ymwelwyr o bell, o Beriw, o Buenos Aires, o Lundain. A chynhelid dawnsfeydd o bryd i'w gilydd. Ond yr adeg fwyaf pwysig yn y flwyddyn ydoedd ymweliad y *directores* o Lundain. Byddai tacluso mawr ar eu cyfer, ac aelodau'r *administración* yn gorfod gwisgo ar gyfer cinio yn yr hwyr. Ewropeaid oedd y swyddogion yn ddieithriad—Albanwyr, Cymry, Norwywyr, Saeson. Bu trafferth unwaith yn ystod y rhyfel diwethaf—y Rheolwr wedi priodi ag Almaenes, a bu raid iddo ymadael â'r lle, er iddo fod yn ei swydd ar y stansia ers blynyddoedd.

Ymadawodd Megan Rowlands hithau ar ôl marw'i gŵr. Cofiai am y bywyd gyda blas, a hiraeth Elfai amdano'n fwy efallai. Dyna lle treuliodd ef flynyddoedd ei blentyndod, lle dysgodd gyda Mr Wilson sut i bysgota, lle rhoes sglein ar ei Saesneg (heb anghofio'i Gymraeg). A themtiwyd ef gan y cyfle i fynd yn *cadete* gyda'r *administración*. Ond daliodd i weithio mewn swydd gyda'r llywodraeth leol yn Esquel, ac i bysgota'n hynod effeithiol afonydd a llynnoedd y *cordillera*. Erbyn hyn fe fydd y cof am Pampa Chica yn dechrau pylu. Rhyfedd meddwl sut y cyfnewidiodd rhai o Gymry'r Wladfa fywyd cymharol lwm ac unig *chacra'r* teulu ar lannau Chubut, am ynys las ar ganol y Paith, lle gellid byw mor foethus â phetai dyn yn Llundain, a lle cyfrifai Prydeindod gymaint, o leiaf, â'r ymlyniad wrth yr Ariannin.

* * *

Darluniau o'r gorffennol yw'r rhain, o orffennol pell, ac agos. Eithr peidier â meddwl fod y Cymry wedi colli'u cysylltiad â'r Paith. Ym Mro Hydref yn arbennig y cadwyd y cysylltiad hwnnw. Er enghraifft sicrhaodd Freddie Green, mab Mrs Christmas Jones, yr olyniaeth unig yng *nghamp* La Primavera, a threfnir i un o'r meibion ofalu amdano, er bod gan y teulu afael hefyd ar *chacra* braf ar lethrau isaf Gorsedd y Cwmwl yng Nghwm Hyfryd. Yn yr un modd y mae tiroedd Ricardo Berwyn ac eraill yn estyn allan i'r *camp,* a deil perthnasau'r diweddar Emrys Hughes, un o batriarchiaid Esquel, i ffermio ar odreon y Paith i dueddau y de. Yn wir buan sylweddolir yn Esquel fod gan y teulu hwn ac arall gysylltiad â rhyw stansia yn y cylch godidog hwnnw o fewn hanner milltir crwn i'r dref, a geilw brawd, neu fab, neu gefnder, heibio i'r cartref yn y dref yn ystod ei egwyl yno yn trafod ei fusnes, yn archebu bwyd, neu'n trefnu ar gyfer prynu neu werthu stoc. Pan oedd y cwmni ar y daith helbulus honno dros y Paith yn eu car modur ym 1916 cofiodd un ohonynt, ger mynyddoedd Tecka, iddo fod yn y cylch hwnnw yn chwilio am aur yn yr hen amser. Daeth i'w gof gwpled englyn:

Am yr aur mae'r ymorol,
Heb yr aur bydd pawb ar ôl.

Yn rhyfedd iawn, dim ond tlodi a ddaeth yn sgîl yr ymdrechion ofer i daro ar wythïen gyfoethog, ond o'r un mynyddoedd, ac o'r un fro, fe ddaeth, i ddwylo'r ychydig, gyfoeth amgen, croen euraid y ddafad gorniog gyffredin.

Guanaco

Gorsedd y Cwmwl

VII *Bro Hydref*

Ni allesid gair cywirach na "Cwm Hyfryd" fel disgrifiad o'r fro
ddieithr y cafodd y Cymry ym mintai Fontana gip arni am y
waith gyntaf ym 1885. O ben y Graig Goch gwelid ef yn ymestyn
i ogledd a de ar hyd y *cordillera,* ac eto nid Cwm yw yn yr ystyr
fanwl, ond llechwedd anferth (a nifer o afonydd yn torri ar ei
thraws) yn gogwyddo tua'r hafn lle mae afon Percy ac yna'r Afon
Fawr (Futaleufú) yn cario dyfroedd cythryblus yr Andes i
gyfeiriad y ffin â gwlad Chile. Ar y mwyaf y mae'r Cwm yn rhyw
ugain milltir o hyd, a phump ar draws, hynny yw rhwng y ffin
orllewinol a gynrychiolir gan y ddwy brif afon, a'r trumiau ar yr
ochr ddwyreiniol. O'r tu draw i Percy (sy'n dwyn enw un o'r
Gwladfawyr, Percy Wharton) a'r Afon Fawr cyfyd gwlad fwy
mynyddig, a'i chopaon yn cyrraedd uchder o rhwng chwe a saith
mil o droedfeddi, yn eu plith hwy Orsedd y Cwmwl, sy'n llygad-
dynnu gyda'i hawdurdod hardd. Rŷm ni bellach yn y rhan honno
o'r Andes lle rhed cyfres o lynnoedd fel tlysau am feingefn y corff
anferth hwn o fynyddoedd. Rhoes Llwyd ap Iwan enwau
Cymraeg ar rai ohonynt—Llyn Peris, Llyn Tegid—ar y mapiau
cynnar a wnaeth o'r Fro, a chadwodd cof gwerin ambell enw

Cymraeg arall, fel Llyn William Henry. Ond enwau Indiaidd, a Sbaeneg, a lynodd neu a orfu erbyn hyn, y pwysicaf ohonynt Llyn Futalaufquen, a'i gymheiriaid Menéndez, Verde, Rivadavia, a Cisne, sy'n rhedeg am yn agos i hanner can milltir, un ar ôl y llall, i mewn i galon y *cordillera*. I'r de o'r rhain, dyna Lyn Situación, a'i frodyr llai, dri ohonynt. Enwyd hwy'n syml yn Un, Dau a Thri, ond o'u dyfroedd fe dardd yr Afon Fawr, gan ruthro'n fuan drwy raeadrau brawychus, cyn cyrraedd pen isaf y dyffryn, lle llifa'n gryf i gyfeiriad y Môr Tawel.

*   *   *

Tlysni dihafal yr ardaloedd hyn a bennodd eu dewis fel parc cenedlaethol ym 1937. Ynddo, wrth dramwy'r llynnoedd mewn cyfres o gychod modur, gwêl y llu ymwelwyr banorama'r mynyddoedd o'u cylch, yr eira'n gorchuddio'u copaon hyd yn oed yn yr haf, a'u llechweddau'n gwisgo croen gwyrdd y fforestydd, oni bai i uchder neu ysgythredd y creigiau eu gwarafun. Mor eglur yw dyfroedd gwyrddlas y llynnoedd fel y bo modd gweld cerrig gwely'r afon yn y Río Arrayanes (Afon y Myrtwydd), sy'n cysylltu Futalaufquen a'r Lago Verde, er bod dyfnder y dŵr yn fwy na deg troedfedd ar hugain. Y mae'r *flora* ymhobman yn amrywiol a lliwgar, ac ar lan un o'r llynnoedd tyf un o ryfeddodau'r Ariannin, y twr o larwydd hynafol, o rywogaeth *Fitzroy*, sy'n cyrraedd uchder o gan troedfedd a hanner, eu boncyffion yn ddeg troedfedd ar eu traws, a'u hoed yn gymaint â thair mil o flynyddoedd. Gwelir hefyd yno y winwydden wyllt, a nodweddir y wlad yn gyfan gan ei ffrwythau gwylltion, yn arbennig y syfi, y byddai hyd yn oed y Sefydlwyr cyntaf yn eu defnyddio i wneud jam, neu *strawberry pie*. Enwyd un man yn Abergyrans, a draws-enwyd wedyn yn Río Corintos (Afon y Rhyfon).

Saif pentref Trevelin ar ddarn gwastad yn ochr uchaf Cwm Hyfryd, ac oddi yno cwyd y ffordd fawr dros lethr sy'n arwain yn ôl i dref Esquel, ar lan afon o'r un enw, ryw bymtheng milltir i'r gogledd. Tyfodd Esquel yn raddol fel canolfan naturiol i ardal fwy, yn hytrach na chael ei sefydlu yn dreflan ynddi'i hun, oherwydd gwasgaredig iawn oedd gwladychfa'r Cymry yn yr Andes, ei ffin aneglur ar yr ochr ddwyreiniol bell yn cyffwrdd Nant y Pysgod a Tecka, ond yn cynnwys yn fwyaf arbennig y teuluoedd hynny a oedd wedi ymsefydlu ar lethrau'r Mynydd Llwyd, oddeutu deunaw milltir i'r dwyrain o Esquel. Deil rhai o'r Cymry i ffermio yn yr ardal honno, er i ddarnau ohoni fynd yn rhan o *gamp* hwn ac arall, yn hytrach na bod y ffermydd yn cael eu gweithio yn ôl yr hen drefn. Ar yr ochr orllewinol, craig galed yr Andes a bennodd y terfyn, er i Lwyd ap Iwan a'i bartneriaid fynd ar ambell sgawt ar hyd y llethrau a'r cymoedd hyn, yn y gobaith o daro ar ardal newydd i'w gwladychu, ac ar fwlch ymhellach i'r de na Bro Hydref, a fyddai'n cysylltu'n uniongyrchol â Chile, a dyfroedd y Môr Tawel.

Yr ardal fawr hon a wladychwyd gan y Cymry, er i hap a damwain yn hytrach nag ymsefydlu bwriadus nodweddu'i dat-blygiad yn y blynyddoedd cyntaf. Derbyniodd yr hanner cant o arloeswyr cyntaf bob o lig (hynny yw naw milltir sgwâr) fel amod o'u rhan yn ymgyrch Cyrnol Fontana, ond amlwg mai cyfleustra achlysurol, neu ychwanegiad syml at eu meddiannau yn Nyffryn Chubut, oedd y ligoedd hyn. Weithiau byddai dau frawd, neu dad a mab, o'r Dyffryn yn eu gweithio yn eu tro, gan dreulio un flwyddyn yn yr Andes a blwyddyn arall yn yr hen gartref. Dro arall byddai rhywun yn rhentu allan ei lig, neu ei rhoi i aelod o'i deulu, a hynny am mai cyffro'r daith a'i symbylodd yntau i fynd gyda gwŷr Fontana, yn hytrach na'r gwanc am dir mewn bro bell. Dro arall, os byddai galwadau dyn yn y Dyffryn yn rhwystr iddo, trefnai i rywun weithio'r ffarm drosto, neu fe rannai'i lig, gan gadw hanner iddo'i hun, a gadael yr hanner arall at iws yr un a lafuriai drosto. Erbyn 1902, pan sgrifennodd Ernest Scott ei adroddiad, yr oedd gan rai ffermwyr o'r Dyffryn feddiant hefyd ar yrroedd gwartheg yn yr Andes, a thalent i gyfeillion yno eu gwylio drostynt: y tâl oedd hanner gwerth cynnydd y stoc, a hynny ar gytundeb teirblwydd.

Amgylchiadau bywyd y Dyffryn—y gwasgu yno ar diroedd, neu gyflwr sâl pethau wedi'r llifogydd mawr—a bennodd ymsef-ydliad terfynol amryw o deuluoedd yn yr Andes. Gellid dweud hefyd fod cyrhaeddiad mintai'r *Orita* ym 1911 yn arwyddo ym-agwedd fwy positif ymhlith y Cymry at ddatblygiad tiroedd yr Andes, oherwydd daeth ar y llong honno nifer o ffermwyr o Ddyffryn Conwy y gwnaed cais arbennig am eu math oherwydd eu profiad yn y teip o amaethu mynyddig a geid ym Mro Hydref. Ond weithiau priodi i mewn i un o deuluoedd y wladychfa hon, neu'r ddamwain o etifeddu fferm ym meddiant perthynas a drigai yn y fro bellennig, a bennai fod unigolyn neu ddarn o deulu'n bwrw eu coelbren yn y mynyddoedd. Mae'r math hwn o sefydlu yn helpu esbonio paham a sut y cadwyd unoliaeth cymdeithas y ddwy wladychfa.

Ond unwaith i fro'r Andes dyfu'n wir gymdeithas, hawdd oedd gwerthfawrogi'i manteision. At ei gilydd yr oedd y tir amaethu a'r hinsawdd yn fwy ffafriol nag yn y Dyffryn, a rhoddai amrywiaeth ansawdd y tiroedd, a'r gwahaniaeth yn eu huchder, gyfle i'r Cymro arfer ei brofiad o symud y stoc o un rhan o'r fro i un arall yn ôl tymor y flwyddyn. Er gwaethaf y ffaith ei bod hi'n agos at fynyddoedd uchel yr Andes, ceid yma haf cynnes, yn ddigon i aeddfedu gwenith, ac yn ardderchog at dyfu ceirch. Ceid hefyd fantais annisgwyl: gellid bwydo'r creaduriaid yn y gaeaf ar ddail bytholwyrdd pren y *maitén*. Ond y fendith fwyaf, ar ôl helyntion amaethu'r Dyffryn, ydoedd y ffaith nad oedd angen dyfrhau'r tir, gan fod yr eira a'r glaw yn eu tymor yn rhoddi digonedd o wlybaniaeth. Rhaid peidio â gorganmol ychwaith. Gwir i rai o'r ligoedd ar wastad Cwm Hyfryd gynnwys peth o'r tir ffrwythlonaf, rhadlonaf y gellid ei ddychmygu, ond nid pob lig oedd mor hael ei bendithion, gan fod rhai (neu ddarnau ohonynt) ar dir uchel, tlawd ei weryd, neu'n ymylu ar y peithdir.

Yr argraff gyntaf a wna'r ardal ar yr ymwelydd o Gymro yw'r tebygrwydd i'r Hen Wlad o ran golygfa a hinsawdd. Dim ond cefnlen ysblennydd yr Andes sy'n perthyn rywfodd i ddrama ddieithr, wahanol! Nid yw'n rhyfedd felly i'r sefydlwyr fynd ati i fagu gwartheg fel rhan o amaethu cymysg digon tebyg i'r ffermio a adnabu rhai ohonynt yn yr Hen Wlad. Eithr sylweddolwyd yn fuan fod y tiroedd gorau yn abl i godi cnydau o wenith a cheirch, ac wedi i rai melinau gael eu sefydlu, yn arbennig honno a roes ei henw i bentref Trevelin, datblygodd y duedd hon. Yn ddiweddarach tyfodd pwysigrwydd y ddafad, gan ei bod hi'n medru ymgynnal ar y porfeydd sychaf, a chwilio'i thamaid yn effeithiol hyd yn oed yn y mannau mwyaf diffaith.

Ond gwreiddiodd, a chadwyd, y traddodiad o gadw gwartheg, a gwneud ymenyn. Yn fuan wedi'r ymsefydlu dechreuodd yr ardal wisgo golwg debyg i ryw gwmwd yng Nghymru, fel y gwelwn mewn llythyr gan Rys Thomas, a sgrifennai ym mis Ionor 1891, ar ôl i'r tanau a ddifrododd yr ardal y flwyddyn flaenorol ddiffodd:

. . . y mae'r cyfiniau yn dechreu gwisgo agwedd dipyn mwy cartrevol, drwy vod tai i'w gweled yma a thraw, a brev y gwartheg i'w glywed yn eglur. Ac y mae yma ambell ddarn bach o wenith pur dda. Gan Percy (Wharton) ddarn bach o geirch a phys ardderchog; y ceirch yn uwch na vy mhen. Rhyw dair o erddi bychain welais, a'r oreu gan Percy, lle y tyv llysiau yn dda iawn.

Yn ddiweddarach yn yr un testun dywaid Rhys Thomas:

Mae y lle yma yn llawer gwell na'r Wladva er cadwraeth llaeth ac ymenyn; ceidw y llaeth bob amser, ac y mae'r ymenyn yn galed ond ei gadw yn y coed; wrth drin yr ymenyn, gallech veddwl eich bod yn yr Hen Wlad . . . Ve ddaw y lle yma yn enwog am laeth ac ymenyn.

Helpodd datblygiad diweddarach Esquel i gadw a datblygu'r fasnach laeth ac ymenyn. Gwelodd o leiaf un teulu o Fynydd Llwyd gyfle mewn ymsefydlu ar gyrrau'r dref er mwyn cael gwerthu eu cynnyrch, a diddorol fod rhai o'r Cymry yn y cylch yn dal i werthu menyn blasus yn y dref.

Ond waeth fel yr amrywiai amaethu'r fro, ei phroblem bennaf hi ar hyd y blynyddoedd ydoedd llwyddo i fasnachu gyda'r byd y tu allan. Fe welwyd eisoes sut y lluniodd y drafnidiaeth wagenni dros y Paith ddolen gysylltiol effeithiol, a throsti dôi gwlân, crwyn, neu flew ceffyl, i'r Dyffryn, ac ymlaen i borthladd Rawson a Phorth Madryn. Gwyddys hefyd fod y ffermwyr a âi i gyrchu'u nwyddau'n flynyddol i'r Wladfa yn achub y cyfle i ddwyn peth o'u cynnyrch gyda hwy i'w werthu yno. Prin y gellid gwerthu stoc gwartheg neu geffylau yn yr un modd. Fel canlyniad, gwerthai rhai o'r ffermwyr bychain eu gwartheg yn nechrau'r ganrif i'r *chilenos* cyfagos, a chael punt y pen am ych. Ac yn nhraddodiad porthmona Cymru, gyrrai'r ffermwyr mwy cefnog eu cynnyrch dros yr Andes i Chile, lle caent bunt yn rhagor o bris y pen. Disgrifiodd Ernest Scott y llwybr a ddilynent:

Adnabyddir y ffordd fel ffordd Bwlch Longimay, i'r gogledd o'r wladychfa, a golygai siwrnai o ddeufis, ac o chwe chan milltir i gyrraedd y farchnad. Rhaid hurio dynion i helpu gyrru'r creaduriaid, a chan fod llafur mor ddrud yn y rhan hon o'r wlad, gallant fynnu pa gyflog bynnag y dewisant; yn fynych collir nifer o anifeiliaid ar y ffordd; caeir y bwlch yn llwyr am dri neu bedwar mis yn y flwyddyn; a phan gyrhaeddir y ffin â Chile, codir treth fewnforio yn ôl un swllt ar hugain y pen. Mae'r farchnad felly yn ansicr, a'u hunig reswm am ei defnyddio yw'r ffaith nad oes farchnad arall ar gael.

Deil rhai o drigolion Esquel a Chwm Hyfryd i gofio'r porthmona hwn, ac adrodd straeon brawychus am ddigwyddiadau ar y siwrnai. Dyfodiad y rheilffordd a newidiodd y modd o fasnachu: erbyn 1926 yr oedd y lein o San Antonio (ger Carmen de Patagones) wedi cyrraedd Jacobacci, a chyda hynny'r posibilrwydd o farchnadoedd mor bell â Buenos Aires ei hun. Fel canlyniad magodd gwŷr yr Andes fwy o annibyniaeth: yr oeddynt yn llai dibynnol ar y Dyffryn, ac ar Gwmni Masnachol y Camwy. Erbyn heddiw gellir barnu llwyddiant y fro wrth lond dwrn o ystadegau: ym 1957 fe geid yn Adran Futaleufú dros wyth mil ar hugain o wartheg, bedwar can mil o ddefaid, ac ymron ddeng mil o geffylau, cynnydd pur dda ar y preiddiau hynny a chwysodd eu ffordd o'r Dyffryn yn niwedd y ganrif ddiwethaf.

Amrwd ddigon oedd y tai cyntaf yma. Ceid digonedd o goed, chwaethach nag yn y Dyffryn, a lluniodd ambell sefydlwr adeilad cyfan ohono. Disgrifiodd Rhys Thomas yntau ei ffordd o godi tŷ yn y llythyr y cyfeiriwyd ato ynghynt: "Ionawr 5ed dechreuais ar y ty—frâm o goed, a phlethu o'u cwmpas wair hir wedi ei drochi mewn mwd; fordd gyflym i wneud ty, a chredav ei vod yn well na thy mwd i ddal y tywydd." Cadwodd stori "Miriam y Gelli", a seiliwyd ar fywyd cynnar bywyd Cymry'r Andes, ddarlun cyfan, ac fe ddichon gywir, o un o dai pren Bro Hydref, tua'r flwyddyn 1895:

Yn agos i'r Annedd mae corlan fawr wedi ei gwneud gyda physt yn gyfochrog; ac yn wir wedi sylwi'n fanylach, dyna ydyw deunydd a gwneuthuriad yr Annedd hefyd, ond fod y ty wedi ei blastro. Mae i'r ty yn unig ddwy ystafell a pedair ffenestr—un yn mhob cyfeiriad; ond nid oes iddo gorn simddeu, yr hyn sy'n rhoi golwg chwithig arno. Math o

Brychan Evans, Cwm Hyfryd

weithdy ydyw yr ystafell gyntaf, a lle byw tan un (sic). Ar y
llawr, yn agos i'r lle tan y mae bwrdd a'i wyneb mor anwastad
fel y gellid cyfrif arno frathiadau y fwyell fu'n ei drefnu.
Gerllaw y bwrdd mae dau neu dri blocyn o bren wedi bod tan
yr un oruchwyliaeth. Mae yno hefyd silff wedi ei sicrhau wrth
y mur ac arni weddill torth o fara, cwpan dê neu ddwy,
ychydig botelau y rhai pan fo galwad a wasanaethant fel
canwyllbrenni. Yng nghrog uwch ben mae darn o gelain, yr
hyn a brawf fod y preswylydd yn gigysol, ac yn llawer mwy
mentrus yn ei helwriaeth na hyd yn oed y puma.

Nid y Cymry oedd yr unig breswylwyr yn y fro hon. Yn
ychwanegol at y Sbaenwyr (a'r gwŷr o genhedloedd eraill) a
ddeuai gyda graddol ddatblygiad Esquel, ceid yma Indiaid
(gweddillion cenedl ryfelgar yr *Araucanos),* a'r bobl a elwid yn
chilenos, a ddaeth yn y lle cyntaf o wlad Chile tu hwnt i'r ffin
aneglur. Bu mynd a dod cyson dros gopaon yr Andes rhwng y
ddwy wlad, a dim ond penderfyniad y Cymry i lynu wrth wlad yr
Ariannin a sicrhaodd yn derfynol ym 1902 i bwy y perthynai'r
rhan yma o'r byd. Bellach, fel y Cymry'u hunain, trodd y
chilenos yn Archentwyr. Pwysig sylwi am yr Indiaid a'r *chilenos*
fel ei gilydd, mai haenau isradd ydynt yn y gymdeithas o ran
safle economaidd a chymdeithasol. Yn y mynydd y trig yr
Indiaid yn bennaf, a thrist cofnodi i'r unrhyw ddirywiad eu
goddiweddyd ag a oddiweddodd Indiaid Gogledd America, pan
wynebwyd hwy gan hiliogaeth a diwylliant mwy egnïol, ac ang-
hydnaws. Daliant i fyw, lawer ohonynt, dan y *toldo* (y cynfas),
mewn amgylchiadau tlawd, ac aethant yn aml yn ysglyfaeth i'w
hen elyn, y ddiod. Teg yw nodi fod Llywodraeth Ariannin yn ym-
wybodol iawn o broblem yr Indiaid, ac ym Mro Hydref ffurfiwyd
rhai ysgolion yn arbennig ar eu cyfer, yn y gobaith o'u tynnu i
mewn i'r gymdeithas gyfan, trwy godi'u safon addysgol ac felly
eu defnyddioldeb economaidd a chymdeithasol. Ond crëwyd
felly broblemau newydd, yn arbennig lle bu'r Indiaid ifainc yn
byw mewn ysgol breswyl : naill ai yr oeddynt yn anfodlon mynd
yn ôl i'w cartrefi tlawd, neu os aent adref wynebent berthynas
straenllyd, anodd rhyngddynt a'u rhieni.
    Nid yw'r *chilenos* mor anffodus eu cyflwr, nac ychwaith mor
wrthodedig. Yn wir priododd rhai o'r Cymry â'u merched hwy,
er i'r ddwy gymdeithas ar y cyfan aros ar wahân. Gellir priodoli'r

bwlch rhyngddynt i wahanol ddatblygiad economaidd y ddw
garfan, y Cymry wedi eu gosod mewn sefyllfa fanteisiol gan eu
dyfodiad i'r fro yn wŷr breiniol, ac yn ddeiliaid tir, y *chilenos* yn
bobl dlotach a difraint. A chadwyd y ddwy garfan ar wahân gan
wahaniaeth crefydd, tra cryfhawyd yr arwahanrwydd gan sym-
byliad economaidd y Cymry i gadw'u heiddo o fewn i afael y
teulu, neu eu pobl eu hunain. Felly, mewn ystyr lythrennol a
ffigurol, y *chilenos* a fu'r "cymynwyr coed"—torrant y coed yn y
fforestydd, a dod ag ef ar eu ceirt i'w werthu yn y dref. Fe'u
condemnir weithiau hefyd am "fynd i chwilio am gig yn y nos",
arfer debyg iawn sydd yn ganlyniad i'w tlodi cymharol yn y gym-
deithas. Daliodd un ddolen gysylltiol agos rhwng y *chilenos* (ac i
raddau, yr Indiaid) a'r Cymry, yr arfer o dynnu ar rai o'u
merched ifainc i weini yn eu cartrefi, ac hefyd o roi nawdd i'w
plant amddifaid a'u magu gyda'r teulu.

Bywyd unig oedd yr eiddo Cymry'r Andes. Mor wasgarog y fro
fel mai ar Suliau'r haf yn unig y ceid cyfle iawn i gymdeithasu—
deil rhai o'r Cymry i gofio am yr hen gapel to gwellt ger Esquel
lle'r ymgynullent ar y Sabathau, y teuluoedd pellaf yn teithio am
awr neu ddwy mewn wagen, neu ar gefn ceffyl, gan ddod â'u
bwyd gyda hwy, a gwneud diwrnod ohoni, a bwyta tamaid yn
hamddenol rhwng Ysgol Sul ac oedfa addoli, neu bregethu. Ac
wrth gwrs fin hwyr achubid y cyfle i gyd-ganu emynau, neu
weithiau ganeuon ysgafnach fel y *Mochyn Du,* neu benillion.
Ymfalchïai'r Cymry yn eu dawn i gyd-ganu, a noda Llwyd ap
Iwan yn un o'i ddyddiaduron sut yr edmygai'r Rhaglaw Fontana
ganu'r Gwladfawyr a aeth gydag ef i'r Andes.

Bywyd undonog, meddech chi, heb fawr o amrywiaeth cwmni
nac adloniant. Dichon fod hynny'n wir ar ryw olwg, eto erys yr
atgof ymhlith yr hen bobl am blentyndod hapus, melys. "Bywyd
ardderchog," meddai un hen wraig. "Pawb yn unol," meddai
henwr arall. Tueddwn i edrych heibio i ryddid pobl y bryniau,
heb sylweddoli fod eu "llyffetheiriau" weithiau'n awenau i'r
dychymyg a'r egni sydd ynom. Medrai'r plant gymryd rhan yng
ngwaith y fferm, gan gynnwys y bugeilio, a chofiai hen wraig ym
1972 am ei mam fel "gamster ar gefn ceffyl", dawn a ddeilliai'n
naturiol o'u ffordd o fyw. Yn wir câi'r plant yn gynnar gyfle i
farchogaeth, weithiau'n bell, gan ei bod hi'n ardal mor
eang—awr a hanner rhwng y Mynydd Llwyd ac Esquel,
rhywbeth yn debyg o waelod Cwm Hyfryd i'r dref, a thaith o rai

oriau hefyd o Esquel i Nant y Pysgod. Ac hyd yn oed yn eu plen-
tyndod cynnar y fath bleser oedd cael mynd i'r Cwrdd, neu at
gymydog, ar gefn ceffyl, a'r tad neu'r fam yn dwyn un plentyn
o'r tu cefn a'r llall o'r tu blaen. Yn yr haf trefnid teithiau i'r wlad
i hel mefus a ffrwythau eraill, heblaw'r picnic blynyddol ar Ŵyl
Ddewi wrth y rhaeadr ger Llyn Rosario—"ceir yno gysgod rhag y
gwres o dan y pinwydd talgryfion, awelon iachus yn cyniwair
drwy'r coed ac arogl cusan lan a phur y mynyddoedd eiraog
arnynt:" darlun telynegol iawn, ac atgofion plentyndod hapus
ynghlwm wrtho, fe ddichon.

Go wahanol oedd bywyd y gaeaf, pan gaeai'r eira'n gynnar am
ambell fferm uchel, a'r wlad i gyd am gyfnod dan gwrlid. Ail-
greodd R. Bryn Williams awyrgylch arbennig y tymor hwnnw yn
yr Andes yn ei nofel *Agar*. Arferai rhai teuluoedd yn y dyddiau
cynnar fynd yn ôl i'r Dyffryn dros y cyfnod hwn, a daliodd grym
yr arfer o drefnu i'r plant fynd i lawr yno, weithiau am dri mis.
Fel canlyniad mynegodd Dalar Evans unwaith ei hiraeth ar eu
hôl, ac yntau hebddynt yng Nghwm Hyfryd:

> Heb warpheg mae'r corlanau
> Wrth Frondeg.
> Nac Eurlyn mysg y lloiau
> Wrth Frondeg.
> Mae Shep yn oerllyd udo
> A'r awrlais sy'n ochneidio
> A'r organ sua wylo
> yn Frondeg
> Am gael rhen deulu'n gryno
> I Frondeg.

Ond o aros yn y mynyddoedd rhaid oedd paratoi ar gyfer hir-
lwm. Nid oeddid yn godro'r gwartheg, ond eu gyrru weithiau
allan i'r *camp;* ac er sicrhau cyflenwad o laeth, eid ati ar
ddiwedd haf i ferwi digon ohono nes ei wneud yn "condensed",
a'i roi wedyn mewn poteli ar gyfer y gaeaf, melysyn blasus, yn ôl
pob adroddiad, heb fod yn annhebyg i'r *dulce de leche* sydd mor
nodweddiadol o goginio'r Ariannin. Nid aent ychwaith yn brin o
gig, oherwydd cadwai pobl foch wrth y tŷ, a lleddid dau neu dri
o'r rhain gogyfer â thymor yr oerfel. Ond pa mor hir a thynn
bynnag y gwarchae gwyn, ceid cyfle ar adloniant, ar yr aelwyd yn

bennaf, neu pryd nad oedd gormod o bellter rhwng un fferm ac
un arall, ceid ymgynnull i gartref cymydog ryw fin nos braf.
Cyfarfod felly a ddarluniodd W. Myrddin Williams ym 1900 yn
ei gerdd "Y Gauaf yn Cwm Hyfryd". Fel barddoniaeth ysywaeth
y mae hi'n drwm gan ddylanwadau a theimladau gosod, ond ceir
dilysrwydd hefyd yn y darlun:

> Pan fyddo'r glaw yn curo,
> Ac eira dros y Cwm,
> A'r gwynt yn prudd chwibanu
> Yng ngheinciau'r coedydd llwm,
> Mor ddifyr yw ymgasglu
> Yn gylch oddeutu'r tan
> I weithio rhywbeth buddiol
> Neu byncio melus gan.

Fodd bynnag, mae'n amlwg i'r hir hamdden darfu ambell un!
Adroddir i'r hen John Freeman yrru at ei frawd yn America yn
gofyn iddo am lyfrau i'w ddarllen, gan mai dim ond Beibl a llyfr
emynau oedd wrth law. Ni chafodd ateb boddhaol iawn: dywed-
odd y brawd wrtho fod ganddo fwy na digon i'w ddarllen os oedd
y llyfr emynau a'r Beibl ganddo! Yn ôl un adroddiad barddol a
rhamantus arall, roedd tudalennau'r *Dravod* hefyd yn gysur:

> Acw 'mhlith y bythod euraidd,
> Wrth oleuni llwyd y lloer,
> Ve eu gwelir yn ei darllen
> Ar lawr len o eira oer.

Eithr swcwr y *Dravod* neu beidio, amynedd a weddai hyd oni
seiniai cloch y nentydd eto, a'r gwanwyn gerllaw.

Gadawodd y bywyd unig, cymharol ddi-gymdeithas hwn ei ôl
ar y bobl. Trewir rhai ymwelwyr gan y gwahaniaeth rhwng gwŷr
Bro Hydref a'r Dyffryn. Yn wahanol i'r hen Gymry hynny a lynai
wrth y tiroedd o gylch Rawson er mwyn cael cynhesrwydd cwmni
ei gilydd, daeth y gwladychwyr ym Mro Hydref yn gyfarwydd â'r
unigedd, ac yn fwy abl i ymdopi ar eu pennau eu hunain. Fel
canlyniad mae'r elfen gymdeithasgar yn eu bywyd yn llai amlwg,
a'u hymateb i gwmni dieithr yn araf, nes i'w swildod cynhenid
feirioli. A chryfhawyd y duedd at arwahanrwydd gan natur

bywyd tref Esquel—i lawer o bobl *"camp town"* ydoedd, ac
ydyw, man canolog a chyfleus i ffermwyr gwlad, yn hytrach na
chanolfan cymdeithas. Yn fynych, fel amryw o'r trefwyr eraill,
cadwai'r Cymry gartref yn Esquel, gan fynd yn ôl ac ymlaen
rhyngddo a'u tiroedd neu eu *estancias.* Weithiau treulient dalm
o amser ar y *camp,* dro arall deuent adref i fwrw'r Sul, a chael
cymdeithas eu cyd-Gymry yn y capel bach yn y dref. Gwahanol
ydoedd ansawdd cymdeithas felly hyd yn oed i'r eiddo Trevelin,
pentref naturiol a ddeil o hyd yn ganolfan y bywyd Cymreig yng
Nghwm Hyfryd, lle clywir Cymraeg ar y stryd, a lle gwyddys mai
Cymry yw'r prif arweinwyr.

Yn Esquel, fel yn Nhrelew lawer blwyddyn yn ôl, boddwyd y
Cymry gan y dylifiad estron. Cofiai rhai pobl o hyd (1972) am yr
adeg, ddechrau'r ganrif hon, pryd na cheid yma ddim ond
boliche'r Eidalwr Manini, eithr nid cynt y gosodwyd i lawr
gynllun geometrig Esquel (ei "fesur allan", chwedl yr Archentwr
Cymreig), nag y cychwynnodd y llif dieithriaid gyrraedd. Erbyn
1914 cyrhaeddodd poblogaeth Cwm Hyfryd fil a hanner, a chyda
mewn-lifiad cenhedloedd eraill trodd y Cymry yn gyflym ddigon
yn lleiafrif yn y fro a arloeswyd ganddynt . Yn wahanol i'r
Gaiman a Threlew, ni cheir ar enwau'r strydoedd yn Esquel y
sibrwd lleiaf i lwyth Gomer grwydro mor bell â hyn. Gyda'r
anenwedd enwgar hwnnw a nodwedda drefi'r Ariannin, rhestrir
yr un arwyr Archentaidd ag a welir ymhobman arall, Roca,
Mitre, Sarmiento, holl dduwiau'r genedl newydd. Dim ond
weithiau y ceir enw uwch ben drws siop sy'n datgan presenoldeb
y Cymro, a chollodd hyd yn oed adeilad y *Cooperativa* bob arlliw
o'i berthynas â Chwmni Masnachol y Camwy, a wnaethai fywyd
yn bosibl yn y mynyddoedd dros gyhyd o amser. Erbyn heddiw
dim ond ugain y cant o'r boblogaeth, yn ôl un amcangyfrif, sy'n
Gymry, a phan aethpwyd ati mewn ysgol yn Esquel yn y chwe-
degau i gyfrif faint o genhedloedd a gynrychiolid ymhlith y
plant, cafwyd fod yno ddwy ar bymtheg.

Datblygodd Esquel yn dref osgeiddig, fwy cyfforddus ei byd na
Threlew. Gwelir ynddi lawer o dai sengl, cadarn, amrywiol o ran
lliw a chynllun, yn rhesi ar draws y *sgwariau* i'r ddau gyfeiriad, a
dwy *avenida,* un ar ochr bellaf y dref, a'r llall ar draws ei chanol,
yn rhoi iddi urddas. Ni cheir yma siopau mawrion, er bod yr
Anónima yn fath o faelfa werthu pob peth. Ond os bychan y
siopau, maent yn ddethol, ac amryw ohonynt yn darparu ar

gyfer y diwydiant ymwelwyr. Ymdeimlir â'r un ysbryd chwaethus yng ngolwg gymen y tai, a chlywir murmur y peiriant torri lawnt ar awel hwyrddydd haf. Barn un siopwr ydoedd fod pobl y lle'n rhai anodd eu plesio, gan eu bod yn mynnu'r gorau—a dyna'r argraff gyffredinol yn Esquel. Mae ei dyfodol yn sicr, nid yn unig oherwydd cyflwr ffyniannus amaethu'r ardal, ond fel canlyniad i'r twf ym mhwysigrwydd y diwydiant ymwelwyr—daw'r miloedd yma i weld y Parc Cenedlaethol, a gobeithir yn ystod y gaeaf ddatblygu'r adloniant sgïo, gan fod yr eira'n dal yn hir a dwfn ar y mynyddoedd, hyd yn oed ar y llethrau cyfagos.

Gobaith y Cymry cyntaf, fel eu cymheiriaid yn y Dyffryn, ydoedd datblygu'r bywyd Cymreig yn y mynyddoedd. Mewn adroddiad ar y cyfarfod Nadolig yno ym 1898, pan ddaeth "cynulliad lliosog" ynghyd, datgenir y ffydd eu bod "fel cenedl yn gallu dal ein defion a'n harferion i fyny yn y diriogaeth hon." Ac eto, onid gronyn o anobaith a esboniai'r fath ddatganiad? Os felly, cywir oedd dehongliad y siaradwr o'r dyfodol a'u disgwyliai. Yn faterol, heb un amheuaeth, buont yn llwyddiannus—dywedir fod rhai o'r Cymry heddiw yn gyfoethog iawn, ac yn wahanol i Gymry'r wladychfa arall, daliasant eu gafael i raddau helaeth ar eu tiroedd, a thrwy hynny daliasant yn arweinwyr yn y gymdeithas. Eithr i'r neb a gofia am yr hen ddyddiau, testun siomiant yw bywyd y fro—y ddau gapel, hwnnw yn Esquel

Cennin Pedr, Cwm Hyfryd

ac yn Nhrevelin, wedi gwanychu'n arw o ran aelodaeth a gweith-
garwch, hyn i raddau yn adlewyrchu gwanychiad y bywyd
Cymreig yn gyffredinol; yr iaith Gymraeg yn edwino yng
ngenau'r canol oed a'r ifanc; a dim ond atgofion am Dir Na-nog
yn cynnal yr henoed, ynghyd â'r ymdeimlad i ambell ddarn o
froc oroesi wedi i'r llanw ysgubo drostynt. Ond os trodd bardd-
oniaeth enw Bro Hydref yn rhyddiaith ystrydebol y *Dieciseis de
Octubre,* gellir ymgysuro fod y bobl ifanc, ac amryw o'u rhieni,
yn hyderus a bodlon wrth gamu o'u cynhysgaeth Gymreig i
mewn i gylch cynnes y gymdeithas Ladin.

Capel Bryn-Crwn

VIII   Y Briodas

Adroddir fod amryw o'r coed yn rhai o barciau Buenos Aires wedi eu plannu gan Gymry, a oedd yn gorfod bwrw cyfnod o seguryd yn y brif-ddinas, yn disgwyl am long i'w dwyn i'r Wladfa. Waeth beth am wirionedd y stori, ceir ynddi ddameg—yn y pen draw gweithio a wnaeth y Wladfa i estyn tir-iogaethau'r Ariannin a sicrhau ei hawdurdod ar diroedd Pata-gonia. Dyna'n wir ei phrif gyfraniad, ac nid dibwys mohono. Fel hyn, er enghraifft, y mynegwyd arwyddocâd y gwladychu gan Juan Hilarión Lenzi, yn ei *Antecedentes y proyecciones de la colonización galesa del Chubut,* a gyhoeddwyd ym 1965 ar achlysur canmlwyddiant y Wladfa: "O'r briodas rhwng y bobl hyn [sef y Cymry] a'r ddaear *criollo,* a fyddai iddynt o'r diwedd yn hael odiaeth, deilliodd mynegiant godidog o'r ysbryd Archentaidd.''

Bid sicr, nid felly y rhagwelodd y Sefydlwyr eu dyfodol, ac nid felly ychwaith eu cefndryd yn yr Hen Wlad. Hyd yn oed heddiw, ymhlith y genhedlaeth hŷn, erys yn y cof rywbeth o'r rhuddin a roes iddynt hunaniaeth fel cymdeithas Gymraeg, annibynnol. Yng ngoleuni'r persbectif hanesyddol hwn afraid dweud i'r

Wladfa fod yn fethiant, ac yn dranc. Ond rhaid cofio mai proses gyfnewidiol yw hanes, ac i gymdeithas, wrth ymddihatru oddi wrth un wedd ar ei phersonoliaeth, ei chymathu ei hun ag un arall, a honno'n llawn mor ddilys, er mor wahanol i'r gyntaf. Ac eithrio efallai rai o'r hen bobl, na ddaeth bywyd a diwylliant yr Ariannin fawr ar eu cyfyl, cytuna'r Gwladfawyr bellach mai Archentwyr ydynt, ond fel lleiafrifoedd eraill yn y wlad gawraidd hon, ymfalchïant hefyd yn y tras a'r diwylliant a'u harbenigodd. Hyd yn oed yn yr ymwybyddiaeth ddeublyg hon y mae'r Gwladfawyr yn nodweddiadol Archentaidd.

Priodol felly ystyried sut yr ymaddasodd y Gwladfawyr i'w sefyllfa newydd. Nid yw'r enghreifftiau a ystyrir yma yn nodweddiadol, am y rheswm syml i'r mwyafrif, drwy ryngbriodas neu broses o raddol ymgymathu, fynd bron yn ddifeddwl gyda'r llif. Yn wir tystia'r ystadegau i'r hen ragfarn grefyddol (a chenedlgarol) yn erbyn priodi â Lladinwr beidio ers tro byd: bellach yr arfer anesgor yw i'r degwm Cymreig briodi â'r mwyafrif Lladin, gan gynhyrchu'r enwau dwbl a threbl hynny sy'n britho'r papurau newyddion, fel Señora Graciela Acosta de Griffiths. Eto, er gwaethaf y cymysgu, glynodd mewn rhai teuluoedd fesur o deyrngarwch i'r traddodiad Cymreig, ac o wasanaeth i'r gymdeithas honno: ymhlith y rhain ceir ymwybyddiaeth, weithiau boenus, o'r hyn a gollwyd, ac ymgais ddiymhongar i weld y patrwm newydd o wasanaeth o'u blaen.

Perthyn yr enghraifft gyntaf i gylch Esquel. Disgynyddion ydynt i'r hen R. J. Berwyn, ac yn dwyn yr enw a fathodd y Richard Jones gwreiddiol hwnnw er cof am ardal ei eni yng Nglyn Dyfrdwy. Wedi gyrfa hynod amrywiol ymfudodd i'r Unol Daleithiau ym 1863, ac oddi yno daeth i'r Wladfa, gan lanio gyda'r Fintai Gyntaf. Gwasanaethodd fel athro ysgol (gan lunio gwerslyfr yn Gymraeg, a argraffwyd yn Ne America), fel postfeistr a chofrestrydd, fel cyfreithiwr ac Is-brwyad, ac wrth gwrs fel newyddiadurwr a golygydd *Y Brut* (1868—   ). Ond yn anad dim arall yr oedd yn wladgarwr ac yn arweinydd sefydliad y Wladfa. Cofiai ei ferch amdano (1972) fel gŵr mwyn, tawel, na fyddai prin yn codi'i lais, nodweddion a etifeddodd nai iddo, Ricardo Berwyn, sydd bellach yn dir-feddiannwr a ffermwr llwyddiannus yn ardal Esquel. Daethai brawd R. J. Berwyn i fyny i'r mynyddoedd gyda'r *rifleros* (gwŷr Fontana), a dyna sut y dechreuasant ymsefydlu ym Mro Hydref. Yn ddiweddarach cryfhawyd eu gafael trwy i un o'r teulu briodi â merch a oedd hithau yn gynnyrch asiad rhwng dwy gangen bwysig yn hanes y fro, teulu John Murray Thomas (un o arloeswyr mwyaf lliwgar yr Andes), a theulu o'r Alban, yr Underwood. O'r ochr hon y treiddiodd yr ymdeimlad Seisnig i draddodiad ymfflamychol Gymreig R. J. Berwyn, ac er bod Ricardo Berwyn yn medru deall Cymraeg, ac wedi cadw mewn cysylltiad â'r bywyd Cymraeg tra ffynnai hwnnw yn yr Andes, Saesneg a Sbaeneg yw ei ddwy iaith naturiol. Efallai i'r cefndir cymysg hwn ei gwneud hi'n fwy naturiol iddo ymdoddi i fywyd cymysgryw yr Andes heddiw. Wrth drafod y gynhysgaeth Gymreig ac Archentaidd, sylwodd ar y modd yr unwyd ei deulu ei hun drwy briodas erbyn heddiw â phobl o dras Mexicanaidd, Ellmynig, a Sbaenig. Nododd y gwrthgyferbyniad rhwng bywyd y gwahanol genedlaethau, yr eiddo'i hun ynghlwm wrth fywyd capel ac Ysgol Sul, a'i blant yn rhydd o unrhyw afael crefyddol arbennig, gan i briodasau cymysg wanychu'r ymlyniad wrth sect. Ni alarai'r trawsnewid o'r cefndir Cymreig i'r cefndir Archentaidd, gan yr ymddangosai iddo fod y Gwladfawyr wedi ennill mwy nag a gollasant. Teimlai'n falch o'i dras a'i gefndir, ond fe'u prisiai fel ychwanegiad cyfoethog arall i draddodiad yr Ariannin, tra, ar yr ochr negyddol, dadleuai fod yr iaith Gymraeg a bywyd capel wedi cyfyngu ar fywyd y Gwladfawyr hŷn, a chreu amgylchedd a oedd yn anaddas ar gyfer natur bywyd gwlad Ariannin.

Dau fab sydd i Ricardo Berwyn, Kenneth, sydd yng ngolwg ei dad yn "real *camp* man", a'r llall, Douglas, sy'n teimlo llai o atyniad i fywyd y stanshia, er ei fod fel ei frawd yn ymhyfrydu yn iechyd bywyd yr awyr agored. Ond newyddiadurwr yw Ricardo Douglas Berwyn Evans, a thrwy broffes, felly, saif yn nes at R. J. Berwyn a thraddodiad diwylliannol y Wladfa. Er nad oedd, meddai, yn hyddysg yn y Gymraeg, ymdeimlai â'i gefndir—yr oedd ganddo ddiddordeb yn ei ragflaenydd enwog, a thybiodd (ar gyfeiliorn, fel y mae hi'n digwydd) mai o Berwyn ym Mhennsylvania efallai y daethai'r gwron hwnnw, cyn ymadael â'r Unol Daleithiau am arfordir Patagonia. Ymfalchïai iddo ddilyn fel newyddiadurwr yr un yrfa ag ef, a theimlai'n nes ato hefyd oherwydd ei fod yn gofalu am y *Registro Civil* yn Esquel, fel y bu R. J. Berwyn yn gofrestrydd cyntaf y Wladfa.

Ond nid gŵr i edrych yn ôl mo Douglas. Ymdeimlir â'i ynni a'i frwdfrydedd. Ef sy'n gofalu (1971) am y Diwydiant

Ymwelwyr yn Esquel, ac fel sgïwr profiadol, ac un o sylfaenwyr Clwb Sgïo Esquel ym 1951, ymddiddora'n fawr yn y posibil-rwydd o ddatblygu'r dref fel canolfan mabolgampau'r gaeaf. Y mae ei lygaid yn bendant ar ddyfodol Bro Hydref, a gynigiodd eisoes gymaint o degwch ac adloniant i filoedd o ymwelwyr. Mewn ffordd baradocsaidd nid anodd gweld yn Douglas gyfat-ebiaeth i'r hen arloeswr: yr un brwdfrydedd ac ysbryd cenhadol, yr un ymrwymiad wrth ddyfodol y diriogaeth y mae'n ei gwas-anaethu. Y gwahaniaeth rhyngddynt yw cylch, a natur, eu gwas-anaeth. A cheir yn ychwanegol un tebygrwydd annisgwyl. Cen-hadaeth Berwyn ydoedd perswadio pobl i fwrw eu coelbren ar ddod i Batagonia, ac wedyn geisio sicrhau ei fod yn tyfu'n lle gwerth dod iddo. Gwaith Douglas yw cael perswâd ar Archent-wyr sy'n mynd ar eu rhawd i Batagonia (*grand tour* Deheudir Ariannin), i estyn cylch eu taith i gynnwys Esquel, ac i'r diben hwnnw y mae wrthi'n ceisio creu mwy o westai ar gyfer ymwelwyr, a rhoi mwy o hysbysrwydd i atyniadau arbennig y fro. O safbwynt Cymru gall gwaith R. J. Berwyn ymddangos inni'n fwy pwysig, ac arwyddocaol. Eto o safbwynt yr hyn a allo dyn ei wneud yn ei gylch a'i genhedlaeth y mae effaith gwaith Douglas yn helaethach ac yn cyffwrdd â ffyniant mwy o bobl.

A dychwelyd o Fro Hydref i'r Dyffryn, anodd meddwl am unrhyw sefydliad yn hanes y Wladfa a adawodd ei farc a'i ddylanwad yn ddyfnach ar y bywyd Cymreig nag Ysgol Ganol-raddol y Gaiman, yn arbennig dan arweiniad Mr. E. T. Edmunds. Dyma'r ysgol hefyd a gadwyd ar agor ac yn fyw drwy drylwyredd cefnogaeth Eluned Morgan, a âi o amgylch i hel arian prin y Gwladfawyr, a'r cof am ei dygnwch tyner o hyd yn yr ardal. Gwelir y porth dwbl gwyn, ar gornel yr adeilad unllawr isel, yn glir o'r briffordd yn y Gaiman, a phriodol ei fod yn sefyll ar stryd yn dwyn enw Michael D. Jones. Y tu mewn ymdeimlir ar unwaith ag ysbryd y bywyd Cymreig: lluniau'r noddwyr a'r prifathrawon ar y wal, y llyfrgell helaeth o lyfrau Cymraeg, y ddesg fawr hardd a roddwyd i'r ysgol gan David Lloyd George. Agorwyd yr ysgol yn gyntaf ym 1906, a chadwodd ei drysau'n agored tan 1947, pryd y bu raid ei chau oherwydd prinder adnoddau ariannol yn wyneb cystadleuaeth oddi wrth y Coleg Cenedlaethol yn Nhrelew. Gofalwyd am yr adeilad wedyn gan Gymdeithas Diwylliant y Camwy. Yn sgîl haelioni rhai Gwlad-fawyr, yn yr hen gyfnod fel yn fwy diweddar, lluniwyd y casgliad o lyfrau Cymraeg a gedwir yma, ac a fenthycir i'r lleiafrif sy'n dal i feithrin diddordeb yn ein hanes a'n llenyddiaeth. Yma hefyd y cadwyd cnewyllyn cyntaf y casgliad o greiriau a dogfennau hanesyddol y Wladfa, a osodwyd wedyn mewn adeilad mwy pwrpasol, sef hen orsaf rheilffordd y Gaiman.

Nid oes a wnelom yma â chyfraniad disglair yr ysgol hon yn y gorffennol, ond yn hytrach â chymeriad ac ymroddiad y rhai a aeth ati i'w hail-godi ar ei thraed. Teimlwyd ym 1963 i'r amser ddyfod i ail-sefydlu ysgol ganolradd yn yr hen adeilad, gan fod rhai o rieni'r cylch yn ei gweld hi'n anodd i yrru eu plant mor bell â Threlew. Apwyntiwyd Eluned arall yn brifathrawes, sef Luned González, neu Luned Vychan Roberts de González, a rhoi iddi ei henw llawn. Mae hi'n dyfod hefyd o'r un llinach ag Eluned Morgan, ac yn orwyres i Michael D. Jones a Lewis Jones. Ei chwaer Tegai Roberts yw pennaeth yr Amgueddfa. Aelod o'r staff hefyd yw gŵr Luned, un o gefndir Sbaenig, ac yn ddyn bywiog, diwylliedig, a llawn cydymdeimlad. Cafwyd cymorth hefyd Virgilio Zampini a'i wraig, y ddau'n perthyn i linach y Gwladfawyr, hithau'n ferch i Iâl, un o feirdd gorau'r Dyffryn. Bu Geraint Edmunds, mab yr hen brifathro, a phensaer wrth ei alwedigaeth, hefyd yn dysgu yno, ac fel sumbol o'r parhad yn hanes yr ysgol rhoes yr hen Mr Edmunds ei hun wers ar ddydd agor y sefydliad newydd. Dyma felly wyth o athrawon, ac yn ddiweddarach fwy na hynny, a enillai eu cyflog mewn swyddi eraill, a oedd yn barod i roi eu hamser a'u hegni'n wirfoddol er mwyn ail-godi traddodiad addysgol a gollwyd dros dro. Er gwaethaf yr ychydig o gefnogaeth ariannol swyddogol a dderbyniant, a'r tlodi adnoddau a ddaw yn sgîl hynny—er enghraifft disgwylid ym 1971 i bob disgybl ddarparu hyd yn oed ei ddesg ei hun—y mae hon yn ysgol nodedig iawn, gan gymaint yw deall, dawn, a brwdfrydedd y rhai sy'n gwasanaethu ynddi.

Nodir yma, fel yn hanes teulu Ricardo Berwyn, yr un ysbryd gwasanaeth, a hynny o un genhedlaeth i'r llall. Ond ceir un gwahaniaeth hefyd, gan fod ymrwymiad y grŵp hwn yn y Gaiman (sydd yn cynnwys yn ogystal noddwyr yr ysgol, a'r Amgueddfa, a gweithgareddau eraill Cymdeithas Diwylliant y Camwy) yn gryfach ac yn fwy diamodol wrth y traddodiad Cymreig a'r iaith Gymraeg. Gwelir hyn er enghraifft yn eu penderfyniad i gynnal dosbarthiadau Cymraeg oddi mewn i'r ysgol, er eu bod y tu allan i'r *curriculum* swyddogol; a cheir yn Tegai Roberts rywun sydd

wrth ei hymroddiad a'i galwedigaeth yn ymhel yn uniongyrchol
â chefndir Cymreig y Dyffryn. Nid amherthnasol ychwaith yw
brwdfrydedd y teulu Zampini dros gadw'r Gymraeg yn fyw ar eu
haelwyd, hyd at y to sydd yn codi.

Ond yn baradocsaidd fe adlewyrchir yn nheulu Zampini, a'i
ymroddiad brwd i ysgolheictod a'r celfyddydau cain, yr ieuad
anghymarus rhwng y traddodiad Cymraeg a'r bywyd Archent-
aidd, neu o leiaf wedd arno. Gwelwn, ar yr un llaw, yn Virgilio
Zampini rywun sy'n credu'n angerddol yng nghyfraniad diwyll-
iannol y Cymry i hanes Patagonia—hwy wedi'r cyfan, yn ei olwg
ef, a ymatebodd yn gyntaf, yn llenyddol ac artistaidd, i gefndir
cyffrous y darn hwn o'r byd, ac fel llenor caboledig gweithreda
yntau trwy'r Sbaeneg fel lladmerydd i'r hen fywyd. Ar y llaw
arall, wrth sylwi ar silffoedd ei lyfrgell sy'n gyforiog o lenydd-
iaeth Ariannin a'r byd, ac ar ddiddordeb y teulu mewn paentio a
darluniau, gwelir yn eglur fod gwrthgyferbyniad dramatig
rhwng tlodi diwylliannol y Wladfa, a llawnder y diwylliant a
gyfleir yn anorfod trwy'r Sbaeneg yn hytrach na thrwy'r
Gymraeg. Ym Mhatagonia, chwaethach nag yng Nghymru,
carchar fu'r diwylliant Cymreig, yn hytrach nag allwedd: bu'r
ymdeimlad hwn yn rheswm cadarn dros ddiflaniad sydyn y
Gymraeg yn y blynyddoedd diwethaf. O gofio hyn, eithriad
arwyddocaol yw teulu Zampini, am y rheswm syml fod eu
diddordebau artistaidd ac ysgolheigaidd wedi llwyddo i ieuo yn
eu profiad yr hyn a gynigir gan helaethrwydd diwylliant
Ariannin (a'i drysau ar agor i bum cyfandir), a chan ddwyster
agos-atoch y bywyd syml lleol a'u creodd hwy. Gellir dweud am
eraill iddynt ddewis y llawnder Archentaidd, ac esgeuluso'u tref-
tadaeth Gymreig, am iddi ymddangos iddynt yn gul.

Dychwelwn yn olaf at fferm yng ngwaelod Gorsedd y Cwmwl,
yn yr Andes. Ger safle'r hen gartref codwyd tŷ newydd helaeth,
a'i brif ystafell yn gwisgo ar un pared ddim llai na phanorama
gyfan Cwm Hyfryd, sy'n ymagor tu cefn i'r gwydr. Yma y daeth
Freddie Green pan ymbriododd ag un o ferched teulu Griffiths
yn Nhrevelin, a nodweddiadol o'i ynni a'i fenter yw'r ffaith y
gwnaed pob peth yn y tŷ, yn feini a brics a phren, o ddefnyddiau
a luniwyd ar yr ystâd. Y mae'n ffermwr llwyddiannus, cefnog,
a'i ofalaeth yn estyn o'r *chacra* gymysg hon i *gamp* ei deulu ei
hun, lle maged ef yn dyner yn unigedd y Paith. Cafodd ran o'i
addysg yn Lloegr, peth sy'n rhoi iddo o leiaf un o nodweddion yr

Anglo-Archentwr; a rhoddodd hefyd i fwy nag un o'i blant
addysg yn yr Ysgol Saesneg ym Mariloche, yn uwch i fyny ar hyd
pared yr Andes.

Ond y mae Freddie Green hefyd yn llinach R. J. Berwyn, ac
fel ei fam (a fynnodd ddysgu Cymraeg i'r merched sy'n gweini
arni), buasai hi'n anodd, os nad amhosibl, ganddo dorri llinyn
Cymreictod y teulu. Fel eraill teimlodd yn flin ynghylch dirywiad
y bywyd Cymreig yn yr Andes fel yn y Dyffryn, ond yn wahanol i
lawer ohonynt bu ganddo'r ewyllys i gadw'r Gymraeg ar yr
aelwyd. Yn wir, y mae hi'n rheol yno mai Cymraeg yn unig a
siaredir, ac nid Sbaeneg. Er mwyn sicrhau fod gan ei blant
sylfaen gadarnach mewn Cymreictod nag y gellid bellach yn y
Wladfa, gyrrodd hwynt yn eu tro, dros gyfnod, i Ysgol Sir Tre-
garon, Sir Aberteifi. Dychwelasant a'r Gymraeg yn rhugl ar eu
gwefusau, ac acen y Cardi yn blaen ynddi. Bu Freddie Green
hefyd yn sbardun ac yn gefn i'r hyn a erys o fywyd Cymreig y fro,
a cheisiodd ddeffro diddordeb a brwdfrydedd pobl drwy helpu i
sefydlu amgueddfa o hanes Cwm Hyfryd, a'r Wladfa, a agorwyd
rai blynyddoedd yn ôl yn Nhrevelin. Pe buasid yn chwilio am
enghraifft nodedig o'r Gwladfawr a chanddo'r ewyllys a'r medr i
sicrhau parhad y traddodiad Cymreig, yna hwn fuasai'r dyn, ac
fe'i cynorthwyir yn ei genhadaeth gan wraig yn hanfod o gyff
sydd yr un mor gadarn ei ymlyniad wrth yr un pethau. Eto o
siarad â phlant Freddie Green, anodd osgoi'r casgliad mai rhyw-
beth gosod yw'r iaith Gymraeg yn eu bywyd, math o fathodyn yn
dynodi aelodaeth a theyrngarwch, ond clwb heb aelodau yn eu
cenhedlaeth eu hunain. Mewn modd eironig, bu'r blynyddoedd
alltud yn gyfle i'w paratoi'n well ar gyfer y bywyd sydd ohoni yn
yr Andes; gwneud gwell ffermwr o un am iddo brofi mathau
gwahanol o amaethu yng Nghymru ac yn yr Unol Daleithiau,
gwneud gwell mam neu wraig broffesiynol o'r llall am i'w
gorwelion gael eu hestyn. Ond gartref, yn erbyn cefnlen
gyfarwydd yr Andes, Eric Iolo piau hi, y mab ifancaf cringoch ar
gefn ei geffyl, a medr a phrofiad cenedlaethau'r Dyffryn, y
Paith, a'r Andes yn eiddo iddo. Ni fydd ei gefndir Cymraeg yn
warth nac yn llestair yn ei olwg, ond gall droi'n fuan yn gwbl
amherthnasol i'r bywyd y bydd yn ei ddilyn.

Erys un darlun tra gwahanol yn y meddwl. Henwr dall, a
digon byddar, dros ei bedwar ugain a deg oed, yn byw ar lawr y

Dyffryn, ond â'i wreiddiau yn y Pentre, Cwm Rhondda, lle treul-iodd ysbaid disglair, byr o'i blentyndod, cyn dychwelyd gyda'i rieni i'r Wladfa. Yno bu'n dir-fesurwr, gan helpu ffermwyr y Dyffryn i wybod yn iawn ymhle y gorweddai eu ffiniau. Daeth hefyd yn ffermwr ar ei dir ei hun: "Dim ond drain oedd yma ym 1905," meddai. Cofiai am ei lafur cyson yn ei gartref newydd ym Mryn y Myrtwydd ger y Lle Cul, fel y cofiai am y chwŷs a'r ymdrech wrth ddyfrhau nos a dydd yn y cyfnod pan weithiai i'w dad. Mwyach, mae ffrwyth yr ymdrechion i gyd o'i gylch, y *chacra* gymen, gysgodol, yr helyg a blannwyd ar hyd y Ffos Fawr sy'n rhedeg yn nerthol trwy ganol y fferm. Mwyach hefyd mae popeth o'i ôl: yr atgofion am flynyddoedd y Wladfa a'i llanwodd ef, ac y cyfrannodd at eu llawnder; yr atgofion am y Pentre a Ben Bowen, am gapel Siloh a siop E. H. Davies. Y mae Gwilym Evans yn ddolen gysylltiol rhwng echdoe a heddiw, ond bellach carcharor ydyw o fewn i'w libart werdd, yn symud rhwng y tŷ a'i gadair gynfas yn yr ardd ar hyd canllaw ansicr. "Mae rhywun yn sefyll ar ôl o hyd," ebe ef, "i ddweud yr hanes." Mor gywir y gair. Ac wedyn, gan gyfeirio at y sgwrs a gawsai gyda Ben Bowen Thomas adeg y Canmlwyddiant. "Mae'r Gymraeg wedi llithro yn yr Hen Wlad. A dyna fydd yr hanes yma." Ei ferch a ofalai

Weddw Fach

amdano, a medrai siarad ag ef yn ei iaith ei hun, eithr dieithr ydoedd iaith y mab yng nghyfraith, y ddau ynghyd â'u disgynyddion yn perthyn i oruchwyliaeth na bu raid i Gwilym Evans ond cerdded heibio iddi o bell, fel eraill o'i genhedlaeth. Os bydd ffawd o'i du, caiff ei dywys i'w fedd gan ffrindiau a ddeil i siarad ei iaith, i rannu'i atgofion. Yn y cyfamser y degwm Cymreig sy'n ei gynnal, ynghyd â charedigrwydd teulu a drodd gyda threigl yr amser yn Sbaenig ac Archentaidd. Cyfran nid bychan o'r tristwch yn y darlun yw fod Gwilym Evans yn cofio'n eiddgar genhedlaeth yng Nghwm Rhondda a oedd yn mynegi'u hasbri trwy'r Gymraeg: dieithrwyd ei gefndir ar y ddwy ochr i Fôr Iwerydd. Goroeswr deublyg ydyw.

Loma Torta, Gaiman

Epilog

Ni cheisiwyd yn yr astudiaeth hon dynnu llinyn mesur dros y
Wladfa, gan ddatgan wedyn gyda doethineb drannoeth, ym mha
fodd yn hollol, a phaham, y methodd â chyrraedd rhyw safonau
tybiedig, afreal. Os ystyriwn hi'n fethiant—ac ni allesid
defnyddio unrhyw derm gwahanol o edrych arni o safbwynt
Cymru ei hun—rhaid cofio hefyd nad proses ddisyfyd,
ddiweddar mo'r methu, y gellid ei phriodoli'n bendant i nod-
weddion a gwendidau arbennig yng nghymeriad y Cymry fel y
cyfryw. Bid sicr, fel y ceisiwyd awgrymu yma a thraw yn y llyfr,
ceid rhai pethau yn natur a chefndir y Gwladfawyr a'u tueddai i
gyfeiriad methiant. Ond nodwyd hefyd amryw o nerthoedd a
nodweddion positif, a'u galluogodd i wreiddio'n gadarn a
therfynol mewn amgylchfyd mor wahanol a gelyniaethus. Pwysig
cofio, ar y llaw arall, am y grymoedd a'r tueddiadau a filwriai yn
erbyn calon eu breuddwyd, sef y dymuniad i greu Cymru
newydd, rydd, tu hwnt i'r moroedd. Hyd yn oed ym 1902 yr oedd
y ffaith syml hon yn amlwg i'r sylwedydd craff, caredig hwnnw,
Ernest Scott. Gan sylwi ar y broses o ryngbriodi rhwng Cymry a
Lladinwyr (er nad oedd eto ond eithriad), meddai: "Cyn pen
fawr o flynyddoedd fe fyddant wedi colli eu nodweddion Cymreig
yn gyfangwbl, fel y gwnaeth amryw ohonynt eisoes." Yn wyneb
hyn teg gofyn onid rhyfeddod ydyw hi i'r bywyd Cymreig ddal ei
dir yno am o leiaf saith deg o flynyddoedd wedi hynny? Arwydd
yw hyn nid o ddiofalwch, ond o wydnwch. Nid rhyw duedd

naturiol yn y Cymro i golli ei iaith yw gwreiddyn ein dolur, eithr y ffaith anffodus fod yr holl wledydd Celtaidd (boed yn eu cartref cysefin, neu mewn darn arall o'r byd) wedi eu tynnu i fagl imperialaidd cenhedloedd cryfach na hwy. Fel yr awgrymwyd, mae'r ffaith o ddibyniaeth yn ddyfnach yn ein hanes nag unrhyw barodrwydd i ildio'n rhwydd o flaen gwasgfa a dylanwadau estron: ninnau'n wir yw'r ildwyr olaf, boed yn Llydaw, neu Nova Scotia, boed yn y *Gaeltacht,* neu yng Ngwlad Llŷn. Fe'n cyhuddwn ni'n hunain o ysbryd brad, neu o wendid ewyllys fel pobl, gan estyn yr hunan-amheuaeth a'r hunan-gondemniad i'r Wladfa bell; ac eto, o graffu ar fap Ewrop, llwyddasom tu hwnt i bob disgwyl, gan i ddegwm ohonom oroesi pob gwarchae. Wedi'r cyfan, fe'n hachubwyd rhag y difa mwyaf terfynol hyd yn hyn, sef grym a syberwyd *Romania;* ac nid ildiasom eto'n llwyr i'r gelyn newydd, y gwareiddiad sy'n gwisgo'r unrhyw ddiwyg moethus, boddhaus, ond dan gochl Seisnig, neu Ffrengig, neu Sbaenig. Goroeswyr amlblyg ydym, ac fe'n hachubwyd yn rhywle rhag tranc yn y Balcanau, neu'r Almaen, neu yng Ngâl, neu ar draethau Lloegr, neu Batagonia.

Mae'r ymwybyddiaeth hon yn cadarnhau'r argyhoeddiad mai saga yw hanes y Wladfa, nid galarnad, a dyna sut y cyflëwyd hi yma. Ar un olwg, cyfeiliornus ydoedd neges Iorwerth Peate yn ei gerdd adnabyddus i Ronsyfâl: nid y niwloedd a'r nos a erys yno, ar binaclau'r Pyreneau, eithr atsain corn Roland a'i wŷr, corn a seiniwyd yn rhy ddiweddar, mewn awr o golled ac anobaith, pan drechwyd darn o fyddin Siarlymaen gan y Swleimân. A sain arwrol a glywir ym Mhatagonia o "utgorn dy wynt gerwin, dig," y gwynt a chwyth dros wyneb y Paith. Eto i gyd, pa mor epig bynnag yr ymdeimlad fe geisiwyd, wrth ddarlunio trist orymdaith dadfeiliad y Wladfa, osgoi awgrymu ei bod hi'n baradwys yno. Ond wrth ychwanegu hynny, rhaid atgoffa'r darllenydd sut y cytbwyswyd yn nysglau'r fantol dristwch yr hen, gyferbyn â llawenydd ac asbri'r ifainc, a aeth yn fodlon i mewn i etifeddiaeth gwlad Ariannin. Os teimlodd rhywrai tan yn ddiweddar fod o leiaf ddarn o'u bywyd eto rywfodd yng nghysgod baner Prydain, newidiodd yr ymagwedd honno. Os ymfalchïwyd unwaith yn y berthynas â'r traddodiad Eingl-Archentaidd, profiad llawer bellach yw'r cenedlgarwch cryf hwnnw sy'n ymwrthod â grym estron imperialaeth Prydain a'r

Unol Daleithiau fel ei gilydd. Eithr a ydyw hyn yn golygu ym-
wrthod llwyr â'r cefndir Cymreig, am ei fod yn estron ac an-Arch-
entaidd? Trwy drugaredd ni cheir heddiw yr ymagwedd negydd-
ol honno. Gwir i'r Cymry ddioddef rywfaint tros genhedlaeth
neu ddwy oddi wrth eu gwaedoliaeth Gymreig, ac i hynny arwain
at ddirmyg, ac ymdeimlad o israddoldeb. Ond er blwyddyn
dathlu canmlwyddiant y Wladfa ym 1965, newidiodd pethau.
Efallai mai ffactor sylfaenol (os anymwybodol) ydoedd y ffaith
fod y Gwladfawyr bellach wedi eu cymathu â chorff cadarn di-
wylliant Ariannin, ac nad oedd arwahanrwydd eu hysbryd yn
berygl iddi mwy. Dangosodd llywodraeth gwlad ei pharodrwydd
hefyd i gydnabod dewrder y fenter wreiddiol, a'i phwysigrwydd
yn natblygiad cawres o genedl sydd o hyd ond yn graddol
ymaflyd yn y diriogaeth ddihysbydd sydd yn eiddo iddi. Yn yr
ystyr hon, mae safle'r Wladfa yn neheudir Ariannin yn ffactor
bwysig—hanner canrif a rhagor yn ôl nid oedd hi ond rhyw gaer
fechan ar y ffin, erbyn hyn mae Dyffryn Chubut yn gnewyllyn
datblygiad yn y rhan a ystyrir gan lawer yn wlad y dyfodol, oher-
wydd cyfoeth ei holew a'i mwynau, a'r hin gymedrol, iach, sydd
yn fwy manteisiol i'r bywyd diwydiannol na phadell eirias
Buenos Aires a darnau eraill mwy gogleddol o Ariannin. Am
nifer o resymau felly dechreuwyd cydnabod gwerth y wladychfa
mewn rhyw ystyr neu'i gilydd, a'r Dathliad rywfodd yn crisialu'r
newid yn y safbwynt swyddogol tuag ati. Ccir rhwydd hynt
bellach i olrhain twf y Wladfa, a'i ganmol, gan iddi droi'n rhan o
gân fawl cenedl i'w hanes ei hun. Dyfynnwn eto o eiriau Juan
Hilarión Lenzi yn ei *Antecedentes y proyecciones:* "Mae'r
gwladychu Cymreig yn amlygu, ar dir daear ['en lo telúrico'] ac
ar sail teimlad, mewn gweithred ac yn yr ysbryd, rywbeth sydd
yn wir arwrgerdd. Tudalen yw o'n hanes. Nac anghofied neb
hynny!" Hanes Ariannin yw hwnnw, wrth gwrs, a mynegir yr un
neges epig yn y gofgolofn fawr a saif ers 1965 ym Mhorth
Madryn, gerllaw'r man ar y traeth lle glaniodd y Cymry ganrif a
rhagor o flynyddoedd yn ôl. Ac ar fap ehangach gwlad gyfan, bu
gweld llun y *Mimosa* ar un o stampiau swyddogol Ariannin yn
foddion atgoffa'r genedl am daith fregus y llong fechan honno,
a'r hyn a ddilynodd.

   Nid yw hi'n rhwydd i bobl gyfan droi oddi wrth y llwybr, a'r
breuddwyd, a'u cariodd dros gyfnod o amser. Gwelsom i'r
Indiaid, lawer ohonynt, droi cefn ar y cyfle newydd a gynigid

iddynt gan "ddatblygiad" a "gwareiddiad". Ac mewn amgylch-
iadau cyfochrog (ac eto gwbl wahanol) aeth y Cymry drwy broses
gyffelyb o amddifadrwydd. Gwelsom i ffactorau economaidd
ddwyn oddi ar lawer ohonynt eu tir a'u hetifeddiaeth, eu hanni-
byniaeth a'u hunan-barch, gan eu troi rywfodd yn lleiafrif alltud
yn y wlad a'u magodd. A chyda cholli hunaniaeth y grŵp y
perthynent iddo, ac a'u cynhaliodd, nid rhyfedd i amryw golli
ffydd, neu adael cartref, neu chwilio am gysur ym mharadwys
ffwndrus y gwin coch.

Ond os byddai cuddio'r ffeithiau celyd hyn yn gamsyniad,
annhegwch o'r mwyaf fuasai rhoi'r argraff, wrth derfynu, fod y
Cymry'n tristáu gan y newid a ddaeth i'w bywyd. Sylwyd eisoes
fod amryw o'r henoed yn teimlo'n fwy cartrefol yn yr hen awyr-
gylch nag yn y newydd. Ond ar y llaw arall argyhoeddiad syml,
naturiol y rhelyw o'r brodorion o waedoliaeth Gymreig yw eu
bod yn aelodau llawn o genedl Ariannin. Yn wir buasai holi
ymhle y gorweddai eu teyrngarwch nid yn unig yn anghwrteisi,
ond yn gwestiwn ymron ddiystyr iddynt. Fodd bynnag, rhaid
ychwanegu eto nad yw hyn yn golygu bob amser iddynt droi cefn
yn llwyr ar eu cefndir hanesyddol. Rhaid pwysleisio fod llawer
eto'n fyw sy'n siarad ac yn byw yr iaith Gymraeg: y gwelir copïau
o'r *Cymro* a'r *Goleuad* (ac weithiau o *Barn)* ar silffoedd
cartrefi'r Wladfa, y darllenir llyfrau Cymraeg hen a newydd, y
cyhoeddir *Y Dravod* yn gyson, er nad yn rheolaidd; fod pobl yn
dal i fynd i'r gwasanaethau ar y Sabath ac i'r Ysgol Sul, er bod
prinder gweinidogion yn cwtogi llawer ar y cyfle i gael y moddion
yn Gymraeg; fod gwŷr a gwragedd a phlant yn paratoi ar gyfer
cystadleuthau adrodd a chanu yn Gymraeg yn yr Eisteddfod
Flynyddol, ac y clywir y darnau gosod ar lwyfannau'r capeli
lleol, neu ar aelwyd gyda'r hwyr; fod nosweithiau llawen, lle
clywir caneuon Cymraeg a Sbaeneg i gyfeiliant y gitâr. Teimlir
yn gyffredin y gellid mwy o fynd ar y bywyd pe ceid rhagor o
arweinwyr, yn weinidogion a lleygwyr. Un peth gwerth sylwi
arno, y pwysleisir yn fynych fod gofyn i'r arweiniad ddod o'r tu
allan i'r Wladfa, am na chymerai neb sylw o rywun o'u plith
nhw'u hunain a gymerai at yr awenau; casgliad pur ryfedd o
gofio fod nifer o Gymry canol-oed ac ieuanc a allai gymryd at y
dasg gydag egni. Efallai i'r diffyg hyder neu ewyllys hwn godi i
raddau o'r arfer o ddisgwyl arweiniad gynt gan y gweinidogion,
grŵp a beidiodd bellach â bod yn rym yn eu plith.

Ac er eu bod, bron yn ddieithriad, o'r farn mai diflaniad buan
sy'n wynebu'r hyn a erys o'r hen Wladfa, fe geir, ymhlith y rhai
sydd yn brwd gynnal gweddillion y bywyd Cymreig, yn ogystal
â'r rheini sydd ar ymylon y bywyd hwnnw, yr argyhoeddiad nad
anghofir yn llwyr y traddodiad a sefydlodd ac a gynhaliodd gym-
deithas y Chubut. Fynychaf fe gysylltir yr argyhoeddiad
hwn—gyda symlrwydd meddwl y plentyn bron—â'r adnewyddu
diddordeb yn Eisteddfod Gadeiriol y Wladva, a gynhelir yn
Nhrelew yn flynyddol, byth oddi ar flwyddyn y Dathliad.
Arwyddocaol yn wir yw'r cynnydd mewn diddordeb, a'r
llwyddiant a ddilynodd; a gwreiddiodd yr arfer Gymreig o
gystadlu ar gân ac mewn llenyddiaeth yn y diwylliant Sbaeneg
hefyd. Yn yr un modd y mae cryfder y canu corawl yn y Dalaith
yn estyniad o'r ochr Gymreig, megis ag yw'r ymroddiad i
faterion diwylliannol ac artistig. Anodd osgoi'r casgliad, serch
hynny, mai arwynebol yw'r cymathiad rhwng y ddau draddod-
iad, ac i'r trosglwyddiad o'r diwylliant Cymraeg i'r Sbaeneg fod
yn weddol gyflawn: wedi'r cyfan, dim ond cyfran fechan yw'r
Cymry o'r boblogaeth, a pha mor bwysig bynnag eu cyfraniad yn
y gorffennol nid yw ef mwyach yn berthnasol. Ond mewn ystyr

Gwŷr ar gefn ceffyl uwchlaw Esquel

ddyfnach, ac efallai fwy real, y mae eu cyfran yn sylweddol: hwy wedi'r cyfan a luniodd y Dyffryn, ei naddu o'r gwylltineb, rhoi iddo gnawd daear a gwythiennau, ei or-doi â gwyrddlesni a threfn, gan anadlu iddo anadl bywyd. Ac os gwireddir byth freuddwyd yr Archentwr am droi'i wlad yn ddemocratiaeth gyfiawn, lewyrchus, yna gellid mynegi, trwy weithgareddau Senedd a chymdeithas pobl Talaith Chubut, ysbryd a gwerthoedd yr hen oruchwyliaeth Gymreig.

Nodiadau

Ceisiwyd yn unig yma nodi prif ffynonellau'r gwahanol benodau. Gwneir hefyd un neu ddau gyfeiriad at ddefnyddiau ychwanegol. Cyfeirir at y canlynol trwy dalfyriad yn unig:

Charles Darwin, *Journal of Researches into the Natural History and Geology of the Countries visited during the Voyage round the World of H.M.S. "Beagle" under the Command of Captain Fitz Roy, R.N.* (London, 1909): fe'i cyhoeddwyd gyntaf ym 1839-45   Darwin

Jonathan Ceredig Davies, *Patagonia: A Description of the Country and the Manner of Living at Chubut Colony. Also, An Account of the Indians and their Habits* (Treorky, 1892)   JCD

W. M. Hughes, *Ar Lannau'r Gamwy ym Mhatagonia: Atgofion* (Lerpwl, 1927)   WMH

Abram Mathews, *Hanes y Wladfa Gymreig yn Patagonia, gan Y Parch. A. Mathews, Un o sefydlwyr Cyntaf y Wladfa* (Aberdar, 1894)   AM

George Chaworth Musters, *At Home with the Patagonians: A Year's Wanderings over Untrodden Ground from the Straits of Magellan to the Rio Negro* (London, 1871)   Musters

Ernest Scott, *Report by the Hon. E. Scott on the Welsh Colonies in Chubut,* Cd 915, March 1902, yn Readex Microprint Series, *British Sessional Papers: House of Commons* (1902), CXXX, 1—9   Scott

Glyn Williams, *Aspects of Modernization and Socio-Cultural Change within the Welsh Colony in Patagonia* (thesis Ph.D. ym Mhrifysgol Cymru, 1972)   GW
[Gw. bellach ei *The Desert and the Dream: A Study of Welsh Colonization in Chubut, 1816—1915* (Cardiff, 1975).]

R. Bryn Williams, *Y Wladfa* (Caerdydd, 1962)   RBW

Lle enwir tystion, tynnir ar recordiau tâp a wnaed ym 1971/2, neu ar nodiadau a gadwyd o'r sgyrsiau. Wrth gyfeirio at gopïau o'r *Dravod* (1891—), nodir y flwyddyn a'r rhifyn, e.e. *Dravod,* 862 (1916).

Pennod I   Wyneb y Tir

Hanes arfordir Patagonia yn RBW, Musters (dyfyniadau, xv a 312), a Ricardo Levene, *A History of Argentina,* cyf. W. S. Robertson (Chapel Hill, 1937). Daearyddiaeth yn E. W. Shanahan, *South America: An Economic and Regional Geography with an Historical Chapter* (London, 1927, a'i adolygu sawl gwaith), Pierre Denis, *La République argentine: la mise en valeur du pays* (Paris, 1920), a Darwin, 170—171, a 179 ("The curse of sterility is on the land"), a GW, 107—122. Gw. hefyd Emrys G. Bowen, "The Welsh Colony in Patagonia, 1865—1885: A Study in Historical Geography," *Geographical Journal*, CXXXII (1966), 16—27 (lle trafodir *Llawlyfr y Wladychfa Gymreig)*, Musters, 96, ac E. Lucas Bridges, *Uttermost Part of the Earth* (London, 1948), lle disgrifir bywyd ar y Tierra del Fuego ac Ushuaia.

Dechreuadau amaethu, gw. RBW, AM, Scott a WMH. Cafodd Barbara Llwyd stori "Gweryd y Wladfa" gan ei thad. Amaethu diweddarach, gw. GW, a roes yr ystadegau am y gwartheg a'r defaid, y cynhyrchiant alffalffa, a'r ffrwythau. Masnachu gyda Santa Cruz, a thyfu ffrwythau cyn 1901, gw. Scott. Cloddio'r ffosydd yn WMH, 25, atgofion Llywelyn Griffith, Gaiman, WMH, 104, RBW, 164, 167 a 282—283. "Cario Lawr", gan Egryn Evans, *Dravod*, 19 (1896), a'r "Amaethwr" ymhlith papurau Amgueddfa'r Gaiman.

Ynghylch y ffiniau, gw. *Dravod*, 5 (1896), a phrotest "Shonihoi", *Dravod*, 3 (1891). Noda Scott y drafferth i gael hawlweithredoedd—collodd un ffermwr ei hawl ar bum lig ar ôl eu meddu am 15 mlynedd, a chanddo gerdyn yn rhoi'r hawl flaenaf iddo arnynt. Rhannu'r tiroedd, gw. RBW, GW, a ddengys (237 a 256—260) i ffactorau economaidd anffafriol a'r duedd i dyfu llysiau a ffrwythau effeithio ar y tir-ddefnydd. Y llif mewn-ddyfodiaid, gw. GW, 252—254.

Tir Halen ym 1881, WMH, 20. Problem yr heli, gw. RBW a GW, ond yn fwyaf arbennig cafwyd cyngor yr arbenigwr Richard Smith, Prifysgol Leeds. Nododd GW (213) dwf effaith andwyol yr halen ar y tiroedd amaeth.

Pennod II   Newid Byd

Dibynnwyd llawer ar RBW, AM, JCD, Musters, Scott, a WMH. Cefndir hanesyddol yr Ariannin, gw. Levene.

Y brotest yn erbyn Michael D. Jones, Llyfrgell Coleg Bangor, ll. 7602, dyfyniad AM, 72. Sefydlu Eglwys Vron Deg, gw. llyfr "Penderfyniadau Eglwys Crist o Fedyddwyr neillduol; yn ymgynull yn y Wladfa Gymreig, Dyffryn y Gamwy, Patagonia," Amgueddfa'r Gaiman. Hefyd, llythyrau'n ymwneud â'r achos, gan gynnwys llythyr y Parch William Morris, gweinidog Noddfa, Treorci, yn cymeradwyo'r gŵr ieuanc William Parry, fel "un gloyw a phur fel Cristion". Y minteioedd, gw. GW, 8—47. Addasrwydd y sefydlwyr, gw. E. J. Wilhelm, Jr., "The Welsh in Argentina," *Geographical Review*, LVIII (1968), 136—137, a Glyn Williams, "The Welsh in Patagonia," *Geographical Journal*, CXXXV (1969), 149—150; a chymharer Andrew H. Clark, "The Historical Explanation of Land Use in New Zealand," *Journal of Economic History*, V (1945), 215—230. Noder hefyd yr adroddiad a wnaeth W. L. Griffith i lywodraeth Canada ar yr ymfudwyr a aeth o'r Wladfa i Saskatchewan ym 1902: "The Welsh settlers are splendidly adapted for life in a new country; they can put up their own buildings; they are splendid stockmen, and are thoroughly acquainted with what roughing it in a new country means"—gw.

Canada, *Sessional Papers,* 1903, No. 25, Part II, 21: ceir y cyfeiriad yn Gilbert
Johnson, "Prairie People: The Patagonian-Welsh," *Saskatchewan History,*
XVI (Autumn 1963, No. 3), 90—94. Rachel Jenkins a'i gŵr, gw. RBW,
Atodiad V, AM (48), sy'n nodi mai o Droed-y-rhiw y deuai Aaron, a Gonzalo
Delfino, "Rachel: Una heroïna galesa," yn *El Regional: Edición
Extraordinaria: Temas de Historia de Nuestra Provincia,* 11° (Julio 1974),
24—26.
  Yr ymholiadau yn adeg y llifogydd (1899/1900), gw. Scott, A. C. Woods,
H.M.S. *Acorn, Report on the Welsh Settlement at Chubut in the Argentine
Republic,* Cd 8361, 1897, yn Readex Microprint Series, *British Sessional
Papers: House of Commons* (1897), LXI, 200—299, ac adroddiadau Edward
P. Ashe, H.M.S. *Basilisk,* Charles H. Cochran, H.M.S. *Pegasus,* a R.
Groome, H.M.S. *Flora,* Cd 385, 1900, yn Readex Microprint Series, *British
Sessional Papers: House of Commons* (1900), LV, 205—216, y dyfyniad o
Groome, 215.

  Yr arweinwyr, gw. RBW, AM, a WMH (dyfyniad, 109). Helyntion Cwmni
Masnachol y Camwy, gw. GW, yn neilltuol 135—162. Deil Phillips, sefydlwr
gwladychfa Pelotas ym Mrazil, i ddisgwyl am gofiannydd, ond gw. WMH,
134—135, RBW, a R. J. Berwyn, "Thomas Benbow Phillips," adargraffiad o
erthygl 1915, yn *Camwy,* rhifyn 3 (enero de 1962). Hefyd J.B.P ei hun, "The
Valdesean Expedition," *loc. cit.,* y cyfeirir ato yn y bennod hon. Dyfyniad o
rifyn cyntaf y *Dravod,* Sadwrn, 17 Ionawr 1891, darn Gwrtheyrn, 108 (1898),
yr ysgol *castillano,* 27 (1896), a llithiau J. S. Williams, 5 (1896) a 129 (1898).
Ar Powel, gw. RBW, 156—157.

  Addasu, gw. JCD, 21—22, a WMH, 94—95 (ceffylau). Nododd AM (125)
sut yr unid cymdeithas gan gyflymdra'r ceffyl. Gêr yr Indiaid, gw. e.e.
darluniau Musters. Defnyddiwyd gêr y Cymry hefyd ar y *prairie* (gw. Johnson,
loc. cit.). Y defnydd o'r Paith, gw. RBW, 93, AM, 44, WMH, 32 a 18—19, a
Dyddiadur Llwyd ap Iwan, "Ymchwildaith i'r Andes (1894/5)", Llyfrgell
Coleg Prifysgol Bangor, ll. 11462, 21 Chwefror 1895.
  Y berthynas gyda'r Indiaid, gw. RBW, *passim.* Musters (113) sy'n nodi pris
torth o fara. Cyfeiria RBW (109) at y cildwrn i'r Indiaid, canmoliaeth Musters
i'r Cymry, 113. Llywelyn Griffith a gofiai ymweliadau'r Indiaid â'r Gaiman.
Twf y boblogaeth, gw. RBW, *passim,* ond yma, amcangyfrif manwl, *Dravod,*
8 (1896).

  Dysgu gan yr Indiaid, gw. AM, 17 a 28, Llwyd ap Iwan, *loc. cit.,* a RBW.
Disgrifiad doniol o gam-ddefnyddio'r *bolas* yn Llwyd ap Iwan, Llyfrgell Coleg
Prifysgol Bangor, ll. 7667, "Second Expedition to the Andes" (Ionor—Mawrth
1888), 39—40. Tystia Musters hefyd (316) fod y Cymry wedi dysgu *bolear* gan
yr Indiaid. Geiriau Fontana, yn RBW, 222, Nodyn. Dechrau'r masnachu, gw.
RBW, 115—116. Yr hysbyseb a nodwyd—ymhlith eraill—*Dravod,* 36 (1896).
Miltwn Evans biau'r stori am y watsh. Y "Llithiau", *Dravod,* 17 (1896),
WMH, 14—15, JCD, 28, Cochran, *loc cit.,* WMH, 77, a'r darlun cyffredinol
yn Musters, *passim.* Digon posibl, serch hynny, mai o ffatrïoedd Swydd Efrog
y deuai'r *ponchos:* gw. H. S. Ferns, *Britain and Argentina in the Nineteenth*

Century (Oxford, 1960), 79. Masnach wahanol, *Dravod,* 20 (1896), un o'r sefydlwyr Cymreig ym Mro Hydref wedi ei "ieuo ei hun wrth frodores", gan dalu amdani ebol dwyflwydd, caseg wyllt, ac ych tew at y wledd briodasol (a chymharer stori Marianne, RBW, 107). Adroddiad y Gymdeithas Genhadol, RBW, 146, a chymharer 147—148. JCD, 28, a *Dyddiadur* y Parch Harri Samuel, Rhaeadr Gŵy (52—53), a gadwyd yn ystod ei flwyddyn yn y Wladfa fel gweinidog.

Y Ddeiseb, gw. RBW, 299; y cefndir hanesyddol, gw. Levene, *passim,* ac ar Moreno, 265. Y gwrthgyferbyniad enwog rhwng *civilización* a *barbarie,* gw. *Facundo* Domingo Sarmiento. Y Cyfansoddiad, gw. Levene, 453, a José Luis Romero, *A History of Argentine Political Thought,* cyf. Thomas F. McGann (Stanford, Cal., 1963), 151—154. Dechrau gwladychu Patagonia, gw. RBW, 23—24, a phennod III, "Patagonia a'i Phobl", dyfyniad, 31, Nodyn; hefyd Levene, a ddyfynna Alvear (287). Bywyd Sant Malo, gw. Hervé Calvez, *Les Grands Saints bretons* (Grenoble, 1936), 99—106. Levene biau "a turbulent democracy" (41). Tystiolaethau Fontana, WMH, 278, a RBW, 222, Nodyn. Y *gaucho,* gw. *Facundo* (Buenos Aires, Losada, 1938), 105. Cydraddoldeb, gw. JCD, 20, a chymharer AM, 124, a sylwadau mwy cyffredinol Darwin, e.e. 68—69 a 156. Geiriau Leopoldo Marechal, yn ei *Adán Buenosayres* (4ydd argraffiad, Colección Piragua, Buenos Aires, 1967), 34—35. Ynghylch Monte Grande, gw. Ferns, 138—140.

Prydeindod Cymry'r XIX ganrif, gw. e.e. R. Tudur Jones, *Yr Undeb: Hanes Undeb yr Annibynwyr Cymraeg, 1872—1972* (Abertawe, 1975), 102—110. RBW, *passim,* dyfyniad Lewis Jones, 179. Argyfwng y drilio, gw. RBW, 253—263, y penderfyniad, 255—256. Prydeindod y Gwladfawyr, gw. Scott, a'r eiddo Ashe ar ddathlu Jiwbili'r Frenhines ym 1897. Yn ôl Scott, teimlai Cymry'r ddwy wladychfa'n flin am "nad aethent i drefedigaeth Brydeinig yn y lle cyntaf". Stori'r *consulate,* WMH, 249, Phillips a'i "British enterprise and British Energy" yn y Wladfa, *Dravod,* 49 (1897), dan y llysenw *Y Marchog Gwyn.* Y Cymry ymhlith Anglo-Archentwyr Buenos Aires, tystiolaeth Teresa Jones, Gaiman. Cymharer annibyniaeth y Gwladfawyr (RBW, 187) â'u hymlyniad deublyg droeon eraill—e.e. Mai 1971, yn Gaiman, oherwydd agosrwydd y dyddiad at ddydd dathlu annibyniaeth gwlad Ariannin, "rhoddwyd osgo wladgarol ar yr oedfa trwy ganu dau emyn o waith Elfed, sef 'Cofia'n gwlad benllwydd tirion' ac 'Yn Dy enw Iesu tirion, carwn ein gwlad'" —adroddiad gan Dan Lewis, Buenos Aires, *Yr Enfys,* 92 (July/August 1971), 4—5. Dyma enghraifft o barhad naturiol fframwaith y math o Gymreictod y cyfeiriwyd ato.

Pennod III   Iaith y Bobl

Dibynnwyd yn fwyaf arbennig ar waith y ddau ieithegydd o Brifysgol Cymru, y Dr. Ceinwen Thomas a Robert Owen Jones. Hefyd, sylwadau ac ymchwiliadau personol, yn arbennig i'r eirfa Gymraeg. Dyled arbennig i rai hen Wladfawyr, yn enwedig am enwau creaduriaid a phlanhigion, ac i Glyn Ceiriog Hughes, Trelew, am enwau'r ffermydd.

Dau lythyr cynhwysfawr gan olygydd *Geiriadur Prifysgol Cymru*, Mr R. J. Thomas, ynghylch tarddiad y gair *Paith*. Crynhoir ei ymateb fel hyn: "Rhyw anialdir diderfyn yn ymestyn i'r pellteroedd, 'dybiwn i, fyddai gan y Gwladfawyr mewn golwg wrth ei enwi" (28 Gorffennaf 1972). Deil *Camwy* ar lafar, ond fe'i cyfyngir i gyd-destun llenyddol, neu i gyd-gysylltiad arbennig, megis Dyffryn (y) Camwy, Cwmni Masnachol y Camwy, Ysgol y Camwy. Ar Love Jones-Parry, ar Rawson, ac ar enwi Trelew, gw. RBW. Y mae'r to *zinc* yn nodweddu'r Wladfa, fel y nodwedda wlad Awstralia heddiw. Cyfeirir ato gan Michael D. Jones yn ei *Patagonia. Ymweliad y Parchn Michael D. Jones a David Rees a'r Wladfa Gymreig* (1882), 13: "Gwneir to o zinc neu o Fwd."

Y Cyfansoddiad, etc., gw. RBW, Atodiadau VII—IX. Enillodd Elfai Macdonald yn Eisteddfod y Wladfa ym 1972 gyda'i bryddest i un o'r arwyr cynnar, Edwyn Cynrig Roberts. D. Lloyd Jones, *Dravod*, 9 (1896), "llysfod" yn 17 (1896). Hysbysebion, 153 (1899) a 116 (1898). J. S. Williams, *Dravod*, 129 (1898), Gwrtheyrn, 108 (1898), "Yma a Thraw," 861 (1916).

Englyn Iâl, Amgueddfa'r Gaiman, "Poesía colonial". Gelwir y *jarilla* hefyd yn *coed bocs*. Enwyd y *chilcas*, gair *quechua*, yn *coed sebon*, am fod modd gwneud sebon ohonynt. Adar Ariannin, gw. e.e. *Argentine Ornithology* (1888—89), a *The Naturalist in La Plata* (1892). Disgrifiad y *carancho*, Darwin, 55, ac o'r *cóndor*, Eluned Morgan, *Dringo'r Andes* (5ed argraffiad, Casnewydd-ar-Wysg, dim dyddiad), 74. Adnabod y *bandurria*, gw. W. H. Hudson, *Far Away and Long Ago* (Eveiyman Library, London, 1939), 228 a 70. Problem enwi, gw. e.e. Llwyd ap Iwan, yr ail ymgyrch i'r Andes (1888): "The snipe, the robin, and the wren are similar to look at though they do not speak the same language" (ll. 7667, 42).

Safle'r Gymraeg, gw. RBW, *passim*, datganiad O'Donnell, 254, y dyfyniad, 271.

Pennod IV   Breuddwyd a Phrofiad

J. G. Whittier, *The Poetical Works* (London, Chandos Classics, dim dyddiad), 54. W. H. Hudson, *Idle Days in Patagonia* (London, Dent & Sons, Ltd., 1923), 5—6. *Dringo'r Andes*, 22—23, Darwin, 508. Stori am J.H.J. gan Elias Garmon Owen, Coetmor, Gaiman. Cân Prysor a'r eiddo Deiniol (1919), "Poesía colonial". Cân Cadvan, *Dravod*, 135 (1893), stori "Miriam" gan "Cyrnol Jones", yn achlysurol yn y *Dravod*, dyfyniad, 28 (1896). Adargraffiad o'r gân o'r *Amaethwr Cymreig*, *Dravod*, 48 (1897): "allan o hen ysgrifen gan y Br. Rhys Williams, er y flwyddyn 1860, yn Brazil." Llythyr W. Morris, *Dravod*, 198 (1899), "Carlam i Golwapi", 114 (1898). Noder y sefyllfa newydd ym Mhatagonia: "Tra ninau'n hepian, fechgyn, / Meddienir yr holl wlad, / Ac aberth Cymru dewrion / A'n ofer yn ddiwâd." Y "cabaetsh bach", 18 (1896).

W. Morris, *Dravod*, 198 (1899), Lewis Jones, *Dravod*, 4 (1896). John Evans, gw. e.e. RBW, *passim*, hanes Malacara, 213—214. Ymgyrchoedd ymchwilio'r

Andes, gw. Glyn Williams, "Welsh Contributions to Exploration in Patagonia," *Geographical Journal,* CXXXV (1969), 213—227. Cedwir dyddiadur John Evans ym meddiant y teulu yn Nhrevelin. Dilynwyd yma recordiad o ddarlleniadau ohono gan Freddie Green a'i ferch Mary, a eill esbonio'r ansicrwydd testunol yma a thraw. Llwyd ap Iwan, gw. RBW, *passim,* ei ddyddiaduron, a thystiolaeth ei ferch, y ddiweddar Mrs Alen Lloyd, Esquel, ac Arthur Morgan, Esquel. Cadwodd cof gwerin hefyd lawer o fanion am hanes ei lofruddio, a phwy a'i gwnaeth. Cyfeirir yma at ei ddyddiadur, llsg. 11462. Englyn "Puntan" i'r "Mosquito", *Dravod,* 845 (1915).

Ymgyrchoedd i ymsefydlu mewn mannau eraill, gw. RBW ac AM, *passim.* Disgrifiad byw o rai ohonynt heddiw, gw. R. Bryn Williams, *Crwydro Patagonia* (Llandybïe, 1960). Un o'r ymgyrchoedd mwyaf diddorol, ac aflwyddiannus, oedd honno i Nueva Imperial, yn neheudir Chile: gw. Mrs W. Oliver, "Hanes yr Ymfudiad hwnnw o'r Wladfa i Chile," *Dravod,* 1854 (1936)—1857 (1936). Englyn E. Morgan Roberts, "Poesía colonial".

Pennod V   Llwybr yr Andes

Defnyddiwyd RBW ac eraill, ond hefyd atgofion pobl: Eluned Morgan, Dalar Evans (*Dravod,* 204 [1900] a 205 [1900]), teyrnged Esau Evans i J.H.J. (843 [1915]), Mrs E. T. Edmunds, Trelew, Sidney Jones, Gaiman, Arthur Morgan, Esquel, Freddie Green, Miltwn Evans, Mrs Christmas Jones a Mrs Gwilym Jones, i gyd o Drevelin—bu'r olaf ar y daith gyntaf i wladychu'r Andes (1891). Hefyd, profiad personol o'r daith fws.

Trafnidiaeth ffordd yr Andes, gw. Scott (a ddyfynnwyd yma), a Groome, *loc. cit.,* 215. Aeth Scott dros ffordd wahanol i'r cyffredin, ymhellach i'r gogledd. Bu'n marchogaeth am 8 niwrnod cyn cyrraedd un o *estancias* y *Southern Land Company,* 60 milltir i'r gogledd-ddwyrain o Gwm Hyfryd, yna am ddau ddiwrnod arall cyn cyrraedd yno. *Dringo'r Andes,* 23, *Crwydro Patagonia,* 51, W.H.H., "Gwib i'r Mynyddoedd," *Dravod,* 862 (1916), sy'n parhau, 864 (1916). Cyflwr y ffordd, dyfyniad gan deithiwr anhysbys, *Dravod,* 60 (1897). Y disgrifiad o Kitsawra gan W. Mulhail—ychwanega Eluned Morgan, *Dravod,* 153 (1899): "it does pipe with a vengeance." Llifogydd mawrion yma, ac aeth rhai o'r wagenni i drybini yn y mwd. Gw. hefyd 205 (1900), parhad y daith.

Pennod VI   Cofiannau'r Paith

Adroddiad W.H.H. ar *estancia* ger Leleque, *Dravod,* 876 (1916), a gw. 877 (1916). Yr atgof am fwyngloddio, 864 (1916). Yn 2 (1891), darlun difyr o'r ymgyrchoedd hyn: e.e. "Pan welwn y llygad melyn yn dechra chwerthin arna i, ddeudwn i ddim gair, ond mi dorchwn vy llewis, ac mi sgydwn y ddesgl dun nes y bydda'r aur yn tincian arni hi—tyna chi."

Pennod VII   Bro Hydref

Atgofion gwŷr yr ardal, yn arbennig Arthur Morgan, Esquel, Freddie Green a Miltwn Evans, Trevelin, Mrs William Rowlands a'i chwiorydd, Esquel (merched Mrs Ben Roberts), y ddiweddar Mrs Alen Lloyd, Esquel, Mrs Constance Freeman de Owen, Cwm Hyfryd. Hefyd, RBW, GW, Scott, *Esquel en sus bodas de plata* (Esquel, 1950), defnyddiau o'r *Dravod, Dringo'r Andes,* a dyddiadur y Parch. Harri Samuel. Bywyd economaidd y fro, a'i ddatblygiad, gw. GW.

Cadwai Mrs Alen Lloyd un o fapiau'i thad, Llwyd ap Iwan, ar y wal yn ei chartref. Gwladychu'r mynyddoedd, gw. RBW, 227—233. Mintai'r *Orita,* gw. GW, 44. Llythyr Rhys Thomas (21 Ionawr 1891), *Dravod,* 7 (1891). Problemau masnachu, gw. GW, a Scott (dyfyniad). Datblygu'r rheilffordd, gw. GW, 316, yr ystadegau am y stoc, 320.

"Miriam", dyfyniad, *Dravod,* 28 (1896). Dywaid Scott: "Pine-trees are ready to hand for stiffening their mud-houses or building their cattle yards", manylion a eill fod yn fwy cywir. Y picnic, *Dravod,* 869 (1916), cerdd Dalar Evans, 832 (1915), eiddo D.R. am y *Dravod* yn yr Andes, 4 (1891), eiddo Myrddin Williams, 205 (1900). Delia'r nofel *Agar* â "bywyd cynnar y Wladfa" (5). Nifer y boblogaeth ym 1914, gw. GW, 134. Cyfarfod y Nadolig, *Dravod,* 103 (1898).

Pennod VIII   Y Briodas

Y dyfyniad o lyfr Lenzi (dim lle, 1965), 23. R. J. Berwyn, gw. RBW, *passim,* ei ddaliadau a'i weledigaeth, yn ei "Gohebiaeth o'r Wladfa Gymreig—ei sefyllfa bresennol, a'i rhagolygon vel lle i dderbyn dyfudwyr yn y dyvodol," gwobr Eisteddfod y Vron-deg (Mai 1880), a adargraffwyd yn *Camwy,* 4 (Julio de 1962). Tystiolaeth yma gan Ricardo Berwyn a'i fab Douglas.
Ynglŷn ag arbraw presennol Ysgol y Camwy, sgyrsiau gyda Mrs Luned Roberts de González, ei chwaer Tegai Roberts, a Mr a Mrs Virgilio Zampini.
Yng Nghwm Hyfryd, sgyrsiau gyda Mr a Mrs Freddie Green, a'u plant Charlie, Mary, ac Eric. Yn y Lle Cul, Gaiman, ar fferm Bryn-y-Myrtwydd, sgwrs gyda Gwilym Evans, tir-fesurwr, brawd i'r Parch. Camwy Evans, ac un o deulu Myrtle Hill, Treorci, Cwm Rhondda.

Epilog

Yr ail gorn y cyfeirir ato yw eiddo'r gwynt yn awdl R. Bryn Williams, *Patagonia*—gw. *O'r Tir Pell: Cyfrol o Gerddi* (Lerpwl, 1972), 84. Dyfynnir o Lenzi, 23.

MYNEGAI I'R LLUNIAU

*(Y mae'r cyfeiriadau at Gasgliad Kyffin Williams,
Llyfrgell Genedlaethol Cymru, Aberystwyth.)*

*Oherwydd cyfyngiadau technegol ni ellid gwneud cyfiawnder a'r lluniau
gwreiddiol sydd dipyn yn fwy o ran maint ac yn lliwgar.*